HOW PHILOSOPHY
WORKS

YOSUKE HORIKOSHI

哲学は
こう使う

問題解決に効く哲学思考「超」入門

堀越耀介

実業之日本社

はじめに

突然ですが、はじめにちょっとした問題を出してみましょう。

ここに、あなたのみたい夢を何でもみさせてくれる機械があります。これを脳につなぐと、あなたの現実は機械がつくり出す夢に取って代えられてしまいます。しかし夢の中では、豪邸に住むことも、一生遊んで暮らすことも、家族や友人とこれまで通り過ごすこともできます。

この機械は、あなたの脳を電気的に刺激したり快楽物質を出して、現実とまったく同じ経験と幸福をつくりだします。機械は完璧で、誤作動もなく一生幸せな夢をみさせてくれます。そこではもはや、現実と夢の区別はつきません。

さて、あなたは残りの人生を、この機械につながれて過ごしたいと思いますか。

あなたはいま、この問題をどのように考えていますか。

もしかすると「この機械を使いたい」「使いたくない」という「答え」をまず出そうとしているかもしれません。

そうだとすると、少しだけ急ぎすぎている可能性があります。

私たちは日頃、様々な迷いや悩みに直面します。このとき、実は直接「答え」を出すことよりも、どのように「問い」を出せるかが問題解決の鍵になるのです。

「直接答えようとする」のではなく、「問うことによって間接的に」、問題に迫っていく方法。

それこそが、本書でお伝えする「哲学思考」です。

そんな方法に何の意味があるのか。ただの遠回りじゃないか。

そう思う気持ちもわかります。しかし、そうではありません。

もしもこの問題に、本当に「答え」を出そうとするなら、次にあげるような「問い」を無数に出して、一つ一つよく考え「遠回り」しなければならないでしょう。

だとすれば、まず「聞き方」を変えなければいけないかもしれません。

あなたはこの問題を、どう「問い」ますか。

幸福とは、ただ脳が快楽を感じることなのだろうか。それは、すべて電気信号や化学物質の働きに還元できるだろうか。そうでないとしたら、そもそも幸福とは何なのだろう。

やりたいことだけをやればいい状況が、本当に良いといえるだろうか。やりたくないことをまったくしなくていい人生が豊かだといえるなら、それはなぜだろうか。理想通りにふるまってくれる友人は、本当に友人といえるだろうか。

現実と非現実（夢）は本当に区別できるのだろうか。仮に区別できるのなら、どのように分けられるのだろうか。

そもそも、いま私たちがこの機械につながれて夢の世界に生きていないといい切れるだろうか。そもそも、何かが確実に現実である、絶対に事実であると証明することなどできるだろうか。

選択の余地なく機械につながれるのと、自分の意志でそうするのとでは何が違うだろうか。機械を拒否した自分は、現実の仕事や生活に満足しているだろうか。私たちが存在するとは、そもそもどういうことなのだろうか。身体と精神の、どちらが本質的なのだろうか。精神だけがあって身体がなくても、「私は私だ」といえるだろうか。身体だけがあって精神がない場合は、どうだろうか。

私たちは何のために生きるのだろうか。機械の中の人生にも、現実の人生にも同じ価値があるといえるだろうか。同じでないとしたら、それはなぜなのだろうか。

この問題は、ロバート・ノージックという哲学者の「経験機械」という話をアレンジした「思考実験」です。思考実験とは、ある状況を想定してみて物事の本質に迫っていく「ストーリー」のことで、哲学ではよく使用される便利なツールです。

仮想的な状況とはいえ、この思考実験はただの「空想」ではありません。

なぜならこの思考実験から、「幸せとは何か」「現実や事実とは何か」「自分が本当に求めていることは何か」「正しい選択とは何か」「友人とは何か」「今の仕事や生活を続けるべきか」「私とは何か」「人生をどう生きるべきか」といった、自分にとって大切なことを考えられるからです。

これらはいってみれば、「ググってもわからない問い」です。検索すればわかることなら、検索すればいい。しかし人生で直面する悩みや迷いは、調べて答えが出るもののほうが圧倒的に少ないはずです。

○自分のための「答え」を見つけよう

・最近人間関係がうまくいかない。
・仕事で結果を出すには、どうしたらいいだろう。
・やりたいことが見つからない。
・このまま今の生活を続けてもいいのだろうか。

こういった人生の悩みに直面したとき、あなたはどのように対処するでしょうか。友人にアドバイスをもらう、自己啓発書を読む、ネットやテレビで解決策を探す、などなど。現代では様々な手段を使うことができます。

確かに、誰かが教えてくれるのであれば、これほど簡単なことはないでしょう。

しかし、それはあくまで「他人の考え」にすぎません。

私たちは、こうした習慣自体を捨て去る必要があるかもしれません。

なぜなら、他人の環境でたまたまうまくいったこと、他人がその環境にあわせて考えたことが、自分自身にも当てはまるとは限らないからです。

もちろん、単なる知識の伝達や、簡単な問題の解決ならいいでしょう。

しかし、これは、人生にかかわる重大な問題です。

それを考えるためには、自分自身が自分の言葉で、経験で、環境で考え語ること、そして自分の考えをどんどん変えていく必要があります。

「哲学思考」では、それを目指していきたいのです。


ですから、本書には哲学者の名前や哲学の用語は、少ししか出てきません。

哲学者の言葉や知識は、計り知れない英知の結晶です。しかしそれらは、あくまで私たち自身が考えるための道具でしかありません。

大切なのは、身につけた知識を活かし、自分だけの答えを見つけるための、「考える力」そのものです。

本書でお伝えする哲学思考は、まさにその力となるものです。

それは、一度身についてしまえば、一生もののスキルになります。小手先のことに対処する、その場限りの知識や解法ではないからです。哲学思考とは、ある種の「生き方」とすらいえるでしょう。知識のように忘れてしまうものではありません。

○私たちは「問う」こと自体に慣れていない

哲学思考は、「問いを重ねる」ことで深まっていきます。しかし私たちは、「問いを立てる」方法よりも、「答えを出す」方法ばかり学んできました。問うこと自体に慣れていないのです。

ですから、冒頭のような問題と向き合うと、まず直接的に答えようとしてしまうのも無理はありません。

そこで本書では、第3章で「問いを立て、考える」というごく当たり前の力を取り戻す方法をお伝えします。

とはいえ、この説明だけだと少し物足りないと感じるかもしれません。結局、哲学思考では「何をすることになる」のでしょうか。

哲学思考では結局のところ、自分の軸を作り上げることを目指しているといえます。それは、たとえば次のように「自分や世間にとって当たり前となっている考え方を疑い、自分なりに再構築すること」です。


「空気を読まなければいけない」という常識の無意味さに気づき、そこから抜け出すこと。

「親とはこうあるべきだ」という思い込みを考え直し、子どもに接する態度が変わること。

「仕事」の意味を問い、それが「単にお金のためだけではなかった」と思い直し、生活が変わること。

このように自分の考えを再構築することは、自分の頭の中にとどまらず生活をも変えてしまう力があるのです。

○わかりやすさばかり求めることの弊害

でも本当にそんなことできるのだろうか、自分にはわからないのではないかという懸念もあるかもしれません。

確かに哲学的に考えることは、簡単ではないでしょう。問いを重ねて遠回りするよりも、すぐに答えにたどりつけるのなら、そのほうが楽に決まっています。だからこそ私たちは、すぐに答えが見つかりそうな「わかりやすさ」を求めがちです。

しかし、「わかりやすいこと」ばかりを求めると困ったことになります。そこには、2つの弊害があるといえるでしょう。

一つは、「わかりにくいものは、自分には関係ないのでわからなくてもいい」という感覚になってしまうことです。

たとえば政治や経済のこと、学問や科学の知識、法律や社会問題など、難しくてわかりにくいことはたくさんあります。しかし、わからないから関係ない、難しいから知らなくていいというのは、論理が飛躍しています。


そしてもう一つは、「わかった気になってしまう」ことです。

「わかりやすかった」「感覚的にはなんとなくわかった」という経験の中には、「わかった気になっていただけで、内容はあまり覚えていない」、「思い返してみると、実はよく理解していなかった」ということもしばしばです。


こうしたことを避けるために、哲学思考では「わからない」状態を肯定します。わからなくていい。大切なのは、それに「しがみついてみる」忍耐力です。

ここでいう「しがみつく」とは、わからないことを「問い」によって、どんどん言語化してみることです。その方法は、3章でご説明します。

言語化することで、他者と考えや問題を共有できるようになります。すると、自分では思いつかないような解決策や視点を教えてもらえます。言語化し共有することで、他者と協力して物事を「よりよいものにしていく」ことが可能になるのです。

哲学とは、物事を説明し言葉にすることです。つまり言語化すること自体が、哲学的な態度を必要とします。

規模を広げて考えてみると、生活にまつわるほとんどすべてのことが、言葉によって維持されてきました。「文化」と呼ばれるものの多くは、元来こうした言語活動によって形作られていくのです。

言葉と格闘し、わかりにくいものをわかろうとする。こうした努力の中でこそ、創造性やモチベーションが生まれ、哲学的な思考力も定着していくはずです。

○ 哲学を「使う」ということ

本書のタイトルは、「哲学はこう使う」です。

「哲学」というと、「使う」とか「実用」という言葉からは一番遠いイメージかもしれません。

しかし本書では、「哲学は使える」といい切りたいのです。

近年、実際に教育やビジネスの現場で、哲学が「使われ」はじめています。詳しいことは6章でご説明しますが、ここでも少し触れておきます。

たとえばアメリカの超大手IT企業であるアップルやグーグルには、「企業専任の哲学者」が雇われています。IT技術や人工知能といった専門知識面で雇われている場合もありますが、社内の問題解決や研修、企業のミッションづくり、マーケティングのために雇われている場合もあるのです。

もはや「哲学」なしには、企業も立ち行かなくなる未来が待っているといえるでしょう。技術の進歩や価値観の変化、ニーズの細分化、企業の社会的・倫理的責任の明確化……変化の激しい現代では、これまでのセオリーが通用しないことも増えてきたからです。

たとえばマーケティングの現場。

近年では、単に商品やサービスを売るだけでなく、「思想」や「ビジョン」を売ること、それによって価値を高めることが求められています。

だからこそ、哲学的に考えることでアイデアをブラッシュアップしたり、サービスや商品の価値を問い直す。こうしたときに、哲学思考を使った根本的なアプローチが必要とされるのです。

このような潮流は、特に欧米では顕著ですが、日本でも遅かれ早かれ導入されていくでしょう。これらは広く、「哲学コンサルティング」と呼ばれています。

○ 哲学コンサルティング

哲学コンサルティングは、私の活動の一つでもあり、日本でも年々こうしたニーズが高まってきていることを実感しています。

自社ビジョンの構築や問題解決のために哲学を必要とするのは、何もグーグルやアップルに限られたことではありません。

最近では、こちらが説明をする前に、哲学の重要性に注目して、依頼をいただくケースが圧倒的に多くなっていることに、私自身も驚くほどです。

実際、次のようなニーズに、哲学コンサルティングは応えてきました。

「コンプライアンスや倫理規定だけでなくミッションやビジョンを強固にしたい」
「商品やサービスの価値を高めるコンセプトや学問的な裏付けが欲しい」
「哲学対話（5章）を通して職場環境やコミュニケーションを改善し、離職率を下げたい」
「自社事業に役立つ哲学の知識や哲学思考について、研修や講演をしてほしい」

こういった依頼を受けて企業向け研修プログラムを行うと、参加者からは「個人の隠れたニーズを掘り起こせたことで社内の適切な配置転換ができた」「新たなプロジェクトへの動機づけを得られた」「チームのコミュニケーションがスムーズになった」「自分のやりたいことが明確になった」「同僚や上司のことをよりよく理解できるようになった」といった感想を多数いただきます。

ビジネスにおいて「哲学を使う」ことは、もはや現実になってきているのです。

○他者と進める哲学思考

哲学的な考え方を学ぶ機会は、学校教育でも広く取り入れられはじめています。

近年、学習指導要領が改定され、受動的に知識をインプットするだけではなく「主体的、対話的で深い学び」を取り入れる流れになっています。

また、「道徳」が「教科」として導入されることになり、「価値を教え込む」のではなく「考え、議論する」ことを、より大切にするようになりました。

これらの動向は、まさに学校教育で哲学的な考え方を取り入れる理由と重なります。他方で、現場の教員からは、「実際にどう行えばいいかわからない」という戸惑いもしばしば耳にします。


私は、そんなときにも本書が役に立つことを切に願っています。なぜなら本書は、哲学思考だけでなく、思考を他者との対話で深めていく「哲学対話」についても紹介しているからです。詳しくは、5章でお伝えすることになります。

哲学対話とは、簡単にいうと数人で集まり、一つの問いを決めて全員で思考を深めていく対話です。

それはとても「不思議な経験」だといえます。普段はあえて人と話さないようなことを自由に語り合い、わかっていると思っていたものがわからなくなる。わからなくなったにもかかわらず、妙な達成感があるという感覚になるからです。

こうした経験にハマり込んでしまうのは、何も一部の生徒や教師だけではありません。

「なぜ勉強するの」「どうして男女の区別があるの」「死んだらどうなるの」「心って何」「いいことをするために悪いことをしてもいいか」「大人と子どもの違いって何」「どうして親のいうことを聞かなければいけないの」「なぜ夢をもたなければいけないの」「友達って何」「石に命はあるか」「お化けは存在するか」

目をキラキラさせてこうした問いを出す生徒は、決して少なくありません。生徒たちを見ていると、彼らが「本当に考えたい」と思っていることがよくわかります。大人や教育の観点から見れば無意味だと思われても、彼らにとってはどれも「宝石」のような問いなのです。

本当は考えたいことがたくさんある。一見よくわからない発言にも、必ず理由がある。哲学では、こうした根源的な関心を掘り起こすことができるのです。

放っておけば、自分で勝手に「プロジェクト学習」をはじめる生徒もいます。彼らは、哲学対話で自分が気になることを探し当て、とことん突きつめようとします。

普段の授業や日常生活ではあまり話さない生徒が、哲学対話では他の生徒の数倍しゃべる。そんなことも珍しくありません。これは、どんな学校に行っても必ず起きる興味深い現象で、その様子に担任の先生はとても驚くことになります。

自分で考え表現する力、批判的に問い言葉にする力、そして他者に耳を傾け尊重する態度が身につく。こうした変化が、どの現場でも共通してみられています。哲学対話を行った結果、学力が上がる生徒もいます。

誤解を恐れずにいうとすれば、能力やスキルの習得など、本当はどうでもいいのです。哲学対話では、「測られてしまう成果」より、もっと個別な、「一つ一つの成果」のほうがよほど大切です。

「好きなことや勉強したいことが見つかった」、「勉強する理由を見つけられた」、「今まで自分が変なんじゃないかと思っていたけど、そうじゃないとわかった」、「友達や家族とも哲学対話をするようになった」、「学校に少しだけ通えるようになった」、「学校に居場所ができた」、「進路や志望校を決められた」、「大学で哲学を学びたい」、「はじめて友達といえる人ができた」、「恋人ができた」、「授業がぜんぶ哲学対話だったらいいのに」、「とにかく楽しい」などなど。

あげればキリがありませんが、どれも私が実際に生徒からもらった感想であり、「宝物」です。私が学校での哲学対話を続ける最大の理由でもあります。

○ 哲学思考はクリエイティブ

「哲学思考」は、他の思考法とどう違うのでしょうか。「批判的思考」、「論理的思考」、「デザイン思考」など様々な「思考」があるなか、「哲学思考」はどのように区別されるのでしょうか。

哲学的に考えるとき、私たちは「クリティカル（批判的）」であることを強いられるだけでなく「クリエイティブ（創造的）」であることを求められます。

物事を「批判的に」考えることは、「否定する」ことではありません。「本当にそういえるか」、「例外はないか」、「暗黙の前提が潜んでいないか」と慎重に真実に迫っていくことです。これは、哲学思考の重要な側面です。

単に主張や説明を批判して解体する、「壊しっぱなしにする」のとは異なります。哲学思考には「壊したものを再び自分たちの手で組み上げる」作業も含まれるのです。こうした「クリエイティブ」な側面が、素朴な「論理的思考」と哲学思考の違いだといえるでしょう。

「クリエイティブ」という言葉には、「ゼロからイチ」を生み出すイメージがあるかもしれません。しかし哲学思考では「まったく何もないところ」から、「まったく新たなもの」を創り出すわけではありません。

それは批判を重ねていくなかで、物事を「パーツ」のレベルに分解していき、そこから再び組み上げていくというイメージです。

つまり、「批判的に思考すること」と、「創造的に思考すること」は、実は表裏一体なのです。両者の関係がうまくいっているほど、哲学思考はうまくいくでしょう。

そして、思考することでもっと考えたくなる。考えたいというモチベーションが増して、どんどん思考が深まっていく。そういった「思考のサイクル」が生まれてくるのも哲学思考の特徴です。

○自分の興味や関心を大事にする

「自分の関心」を大切にすることも、哲学思考の特徴です。

たとえば学校で、自分との関係がよくわからないものを暗記しなければならないとき、まったく覚えられなかった、という経験がありませんか。

唐突に、昔の日本には「江戸という時代があって、徳川家康という人がいました」と教えられても、「で、それが何なの?」と感じる心を、私は責めることはできません。それが自分と「関連付けられていない」からです。大昔のことなど普通どうでもいいですし、自分に関連する興味深いことが世界には他にもたくさんあります。

他方で哲学思考では、自分自身の関心から考えることで、興味関心がますます拡大していく、ということが起こります。学校の勉強も、無意味に感じる仕事も、「自分との関連」を考えられるようになれば、十分に救い出すことができるはずです。

つまり自分にとっての「リアルさ」を大切にする態度もまた、哲学思考の大きな特徴です。これは、単に物事を論理的に考えることや、批判的に捉えることとは区別されます。

○他者や世の中への好奇心が増す

哲学的に物事を考えるようになると、他者の意見を聴いてみたい、もっと世界を知りたいという気持ちが生まれてきます。

本当に何かを知りたくなったなら、自分の不完全で限界のある思考より、他者の見解に耳を傾けてみたい、他のこともっと知りたいという気になるからです。

つまり、「考える対象」に対してだけでなく、「他者」や「世界」そのものへの関心や好奇心が芽生えてくるのです。

「自分のプライドから自由になれた」という感想を聞くこともあります。

哲学思考で「自分の考えが間違っていた」と気づくのは、もはや恥ずかしいことでも苦しいことでもなくなります。「本当のことを知りたい」という誠実さからすれば、そんなプライドはどうでもよくなるからです。

つまり、自分の考えを修正する柔軟さや他人への尊重が生まれるのです。

大事なのは、あくまで真実や好奇心そのものであって、自分の一貫性やプライドではありません。自分を偽ることが無意味であることは容易に理解できるでしょう。自分のプライドよりも「本当のこと」への関心が勝利する瞬間、自分を覆っていた鎧から抜け出て「武装解除」し、純粋に哲学的な態度を深めることができます。


哲学思考は、単なる問題解決のための訓練や手段ではありません。何かについて考えること。それは、自己や他者、真実に対する「愛」であり、そのこと自体が目的なのです。

その意味で、むしろ哲学は「遊び」の感覚に近いといってみてもいいかもしれません。遊びに「目的」はありません。「それ自体楽しいこと」が目的なのです。

まず何よりも、哲学することを「楽しい」と思える感覚。そして「批判」と「創造」のせめぎあいの中で、「もっと知りたい」と思う高揚感を、本書で体験していただければ幸いです。

もくじ

第3章

問いの立て方

第4章 思考の深め方

第5章 哲学対話——他者と進める哲学思考

第6章
世界は哲学を「使っている」

第1章

哲学思考のメリット

哲学は、哲学者だけのものではない

あなたは「哲学」にどのようなイメージをもっていますか。

なんだか小難しそうで、正直とっつきにくい。

難しそうではあるけれど、どこか魅力を感じていて、ずっと気になっている。

哲学についての書籍を読んだことがある。

本書を手に取ってくださっている方は、きっと後二者の方々ではないでしょうか。みなさんのこうした直感は、とても重要で貴重なものです。なぜなら哲学は、何も研究者や人里離れたところに隠居している人のもの（しばしば髭を蓄えた年配男性のイメージ）ではないからです。

私自身は哲学を研究してきた経歴があり、その営みの中には計り知れない英知と際限ない喜びがあると確信しています。それどころか、実際に役に立つと思うこともしばしばです。

しかし残念なことに、こうした哲学の有用さや楽しさは、学会や大学の外にはなかなか伝わりません。そのことを、長いこともどかしく思ってきました。

○ 哲学では「ググってもわからないこと」を考える

それは、ある程度仕方のない面もあります。

「学問としての哲学」では、厳密で緻密な言葉を使って、世界の本質や価値に迫ろうとします。そこでは、哲学者の思想や言葉を学んだ、鋭い批判的態度をもち合わせた人同士が議論を突きつめていきます。日頃からこのように哲学とかかわっていない人たちは、ついていけなくなってしまうのです。

それでも「学問としての哲学」には大切な役割があります。

哲学は、新しい概念や言葉、価値を創りだします。それを技術やシステム、社会規範へと適用することで社会は維持され、変化していきます。

哲学者が扱ってきた問いの多くは、この世界の「本質」にかかわってきました。「私たちの認識は本当に正しいか」「善悪の境界はどこにあるのか」「神は存在するか」「美しいとはどういうことか」など。

それらは、簡単にいえば「ググってもわからないこと」であり、辞書や辞典で調べても、「単一の、または統一的な見解のないこと」だといえます。

実感しにくいかもしれませんが、このような哲学者による「学問としての哲学」が積み上げてきた功績は、社会の隅々にまで影響を及ぼしています。それは、憲法や社会福祉といった国家の枠組みから、私たち一人ひとりのもつ価値観にまで至ります。ときには、哲学や思想が、「革命」を引き起こすことすらありました。

たとえば、カール・マルクスの思想は、ロシア革命に影響を与え、共産主義・社会主義といった社会システムを作り上げることになりました。ジャン＝ジャック・ルソーの思想は、フランス革命の重要な下地になりました。政治体制の根幹である民主主義や三権分立、人権といった概念も、哲学の偉大な成果です。

より身近な例では、人種差別の禁止、ＡＩの技術、男女平等の理念、人工妊娠中絶、動物愛護（動物の権利）、安楽死や臓器移植などの方針を打ち出すのも、哲学の仕事の一つに数えられます。

○日常にある小さな哲学

哲学は自分とは無関係のものだと思われがちですが、実際には、誰もがみな気づかないうちに哲学しています。

日々些細な出来事に直面して驚き、怒り、悲しむことの一つ一つに、「小さな哲学」が芽生えています。

これは、「学問としての哲学」に対して、一人ひとりが「する哲学」だといえるでしょう。誰でも人生の節々で、たとえば、恋人にフラれて「そもそも愛って何だろう」と思いをめぐらせたり、学校や会社で理不尽なことに遭遇して「本当に正しいことって何だろう」と考えたことがあるはずです。

学問としての哲学や哲学書も、本当は同じです。哲学者や哲学徒は、こうした問いをただひたすらに追いかけてきた（そして少しばかり行きすぎてしまった）というだけなのです。

「する哲学」の一つ一つは、「哲学者」と呼ばれる人たちの思想に比べれば、洗練された言葉や体系ではなかったり、思想として比較・検討されていません。日常を生きる私たちにとって、そこまでする必要はないからです。

ただ、「人生の核心に触れる事柄をもっとよく考えてみたい」、「あのことについて、もっとよく知りたい」と思う。そんなあたり前の感覚の中にこそ、紛れもなく小さな哲学のはじまりがあります。本書では、この感覚を最初から最後まで大切にしたいのです。

○「学問の哲学」と「個人の中の哲学（する哲学）」はつながっている

哲学には①「学問としての哲学」と、②「個人の中の哲学（する哲学）」という2つの種類がある前提で話を進めてきました。この2つは、本来決して別々のものではありません。なぜなら、①は必ず②から生じているからです。ここで改めてまとめてみます。

❶「学問としての哲学」

哲学者による**世界についての説明や主張**です。「ニーチェの思想」や「カントの哲学」といわれるような、ある程度まとまった著作で表され、学説史や研究があるものです。

大学の講義や研究者の間で扱われているのは、通常この手の「哲学」です。哲学書を読んで新しい解釈がなされたり、その妥当性が議論されます。

❷「個人の中の哲学（する哲学）」

自分の経験がきっかけで「もっと考えたい」と思ったことを、自らの頭で考えることです。それは、ふとしたときに疑問を抱く感性、それを言葉にする理性、思い込みに捉われずにオープンな心で批判的に考える態度を必要とします。

①と②は常に往還することで変化し、洗練されていきます。

しかし①はしばしば「いつ何時でも通用する言葉」として崇められてしまうこと

もあります。その言葉や思想を「自分の考えをいい当てたもの」と思い込み、考えることをやめてしまったり、「すがる対象」とされることさえあるのです。
そのせいで、②のような個人の哲学的態度が軽視されてしまうことがあります。

どんなに有名な哲学者の名言や思想でも、それを「自分ならどう考えるのか」と問い直す姿勢がなければ、意味がありません。

信じているものを疑い、考えを変化させる柔軟さがなければ、自分の間違いに気づいたときに、困ったことになります。どうやって軌道修正すればいいのか。次にどう進めばいいのか。その方法は、自分の頭で考えるしかありません。

考えてみれば、哲学者の哲学こそ、常に批判に開かれています。何十年、何百年にわたる膨大な批判に耐え、時代や環境に応じて新たな解釈を与えられ、時代を超えて評価されてきたことがその証です。
そうやって常に「開かれていること」こそが、哲学で最も大切なことなのです。

哲学は役に立つ

では、哲学することで、私たちにどのような具体的成果があるのでしょうか。

○ 哲学で自由になれる

何よりもまず「自由」というキーワードをあげておきます。
これには、いくつかの意味があります。

①自分の本心に気づくことができる
②自分の行動指針や信念を発見できる
③自分の言葉で自分の考えを表現できる

④他者との対話が深まり、人間関係が改善される

❶自分の本心に気づくことができる

哲学すると、巷でよく聞かれる言葉や規範（〜すべき）が、よくよく考えてみれば、大した根拠もない、誰かの勝手な意見であることに気づくことがあります。

私たちは、こうした無数の「規範」や「言葉」を無意識に内面化しています。これは、いわば他人から非難されないように身を守る「重い鎧」を身につけているのと同じです。

哲学的に考えることは、この「鎧」、つまり**自分の本心とは無関係の「理論武装」が、もはや必要ないことに気づかせてくれます。**自分が本当は何をしたいのか、どのように生きたいと思っているのかを探っていけるようになるからです。

❷自分の行動指針や信念を発見できる

自分の「鎧」は自分でつくっている（あるいは押し付けられている）、そして、変えようと思えば変えられるという事実に気づくとき、私たちは自由になります。こ

のとき、それはもはや自分の「外側に」身につけて他者を遮断する重苦しい鎧ではなく、積極的に「自分自身の一部」になるからです。

自分の「行動指針」や「信念」、「自分（の言葉）」を見つけることといってもいいかもしれません。

❸ 自分の言葉で自分の考えを表現できる

哲学思考では、自分との対話を重ねていきます。その過程で、自分の奥底からわきあがってくる、信念、感情を言葉にできるようになります。「自分の言葉をもつ」とか、「自分の言葉で表現できるようになる」といった表現でもよいかもしれません。

自分の中でモヤモヤしていたこと、違和感があったこと、いいたかったことを言語化できるということです。これは単に他者に対して自分を表現できるというだけではなくて、自分の中で考えをよりよく整理できることでもあります。

どこからか借りてきた言葉や、他人の権威に頼る必要はなくなります。

また、自分を偽ることなく、自分とは異なる意見に対しても、オープンな心構えでいられます。

④ 他者との対話が深まり、人間関係が改善される

ここまでの3つの変化は、いわば「武装解除」であるとともに、他者との対話を進展させることとなるでしょう。言葉にして表現するということは、他者とのコミュニケーションを成り立たせる本質だからです。うわべの言葉や社交辞令ではなく、お互いに本心から理解を深める＝わかり合うことが可能になっていきます。

するとさらに、他者のもつ「価値観」や自分の思ってもみない「行動原理」に気づいたり、修正したりすることができるというサイクルが生じてきます。

そして、もっと知りたいと思うようになる――このプロセスの中で、私たちは他者や自分、世界に対して、本当の意味で関心をもち、深めることができるわけです。

これは、「哲学（Philosophy）」という言葉に、「愛する（Philo）」という意味が含まれている由縁でもあります。

こうして、本当の意味で「人間関係を改善する」、「友人をつくる」ことができる

ようになるはずです。これは会社や学校のよい環境・関係づくりにも応用でき、うわべやルールの枠内でない関係を築けます。哲学思考を深め合う「哲学対話」（5章）の手法が、婚活にまで使われはじめているという例からも、こうしたことがいえるかもしれません。

つまり、**哲学は究極の「コミュニケーション・ツール」でもあるのです。**

○ 課題や目的を考える力がつく

インターネットやＡＩの発展と普及により、私たちの生活は激変しました。ありとあらゆる情報があふれ、多様な技術が組み込まれていく中で、自分自身の言葉で「本質」を徹底的に問い直していく力が、急速に必要とされています。

私たちの日常は、ググってもわからない、正解のない課題であふれています。時代の急速な変化の中で、理にかなっていない社会規範は徹底的に批判し、「本当に価値ある生き方や共同体の在り方とは何か」を考える。そのためには、哲学的な思考力が必要となるのは間違いありません。

いうまでもなく、単純作業やその繰り返しであれば、機械やコンピューターが私たちの何倍も効率よくこなします。調べればわかるような知識なら、インターネットで、必要なときに必要な場所で簡単に検索できます。

これは、遅かれ早かれ私たち自身が認めざるをえない「不都合な真実」になっていくでしょう。

しかし何よりも重要なことは、こうした時代を迎えようとも、機械や技術を創造し、それに「何を、なぜ、やらせるのか」は、私たち自身で考えるしかないということです。

知識や価値の是非を判断し、それを使って「何をするべきなのか」という核の部分は、結局、人間自身にゆだねられているのです。

「まるで哲学者のように」とまではいかなくとも、哲学的な思考に親しむようになれば、様々な現代的課題に自分自身でアプローチできるようになります。

現時点ではまだ今あげたメリットがなかなかわかりづらいかもしれません。しかし本書にそって自己内対話を重ねていくことで、最終的に「哲学で自由になる」、

「課題や目的を考える力が身につく」ことを、きっと実感していただけるはずです。

1章まとめ

○ 哲学では「ググってもわからないこと」を考える。

○ 哲学には「学問の哲学」と「する哲学」の2種類がある。2つは常に往還することで変化し、洗練されていく。

○ 哲学で「自由になれる」

① 自分の本心に気づくことができる。
② 自分の行動指針や信念を発見できる。
③ 自分の言葉で自分の考えを表現できる。
④ 他者との対話が深まり、人間関係が改善される。

○ AI時代、機械や技術で何をするべきなのかという「目的そのもの」を考える力がますます重要になる。

第2章

哲学思考とは？

哲学は「わかり」の経験

「哲学者」ではない私たちが哲学するとき、どのような感性や態度が必要になるでしょうか。

大前提として、「考えたい」という気持ちが最も大切になります。

なぜなら、考えることは主体的な行為だからです。自ら「考えたい」と思わない限り、何もはじめることができません。

哲学思考の具体的なステップは3章以降で解説しています。本章を経ると、次章以降がよりわかりやすくなると思いますが「早く手順を知りたい！」という方は、このまま次章へ進んで、あとから戻ってきても構いません。

○本当の意味での「わかる」とは

哲学とは「わかり」の経験です。それは、難しい哲学書や専門知識なしで、いつでも誰でも、楽しむことができるものです。

ここでいう「わかる」は、次のような問題の空欄を埋められる、ということではありません。

問1：　江戸幕府を創立したのは「　　　」である。

問2：　2＋2＝（　）

私たちは、こうした問題に「すぐに答えられること」を「わかる」ことだと思いがちです。これらは確かに「わかる」の一部であり、知識の量を計ることもできますが、「わかりの経験のすべて」ではありません。

私たちはしばしば、「答えられること」、もっというと「いい当てられること」と

「理解していること」を混同し、満足してしまうことがあります。それがどのような意味をもつのか、妥当なものかどうか、といった思考レベルに到達しないことは、よくあることです。

しかしこれは本当の意味で、何かを「理解している」ことになるでしょうか。

○「わかる」の中にある「わからない」

「わかる」は、本来「わからない」を包含しています。というのも、「何かがわかっている」というとき、「何をどこまでわかっていて、どこからはわからないのか」も理解しているはずだからです。

たとえば、徳川家康。彼が1603年に江戸幕府を創設したことや、その後15代にわたって、その子孫が政治を司っていたことはよく知られています。しかし、当時の庶民がどのような暮らしだったか、残念ながら私はよく知りません。ですが、こうして「何がわからないのか」に気づいたとき、「もっと知りたい」という気持ちになります。

また、江戸時代は、比較的「平和な時代」だったといわれることがあります。私には、それが本当だったのかどうか、わかりません。あるいは、「徳川家康が存在した」という事実が、今を生きる私にとってどのような意味があるのかも、よくわかりません。

このように、彼のことを知れば知るほど、むしろ「わからない」が増えていくのです。

哲学はこうした「わからないことは何か」を考えることによって進んでいきます。

○無知の知──「自分の無知」と向き合うと前進する

古代ギリシアの哲学者ソクラテスは、かつて「ソクラテスより賢い者はいない」という神託を受けたといわれています。これに疑問をもったソクラテスは、当時「賢い」とされている人々に会いに行き、彼らがはたして「何を知っているのか」を確かめるため、対話を重ねました。

彼らは、確かに自分の職業にまつわる経験や技術、知識をもっていました。ところが、真や善、美といったことについては何も知ってはいませんでした。にもかかわらず、彼らは「自分たちはよく知っている」と思い込んでいる。そのことに、ソクラテスは気づいたのです。

「自分はこうしたことについて『知らない』ということを知っている」――この点で、ソクラテスは自分が彼らより「賢い」者であるという神託の意味を理解しました。

この態度は「無知の知」と呼ばれます。これは何も、「ちょっとうまいことをいった」わけでも、「知らないことを自覚しているほうが偉い」という単純な話でもありません。

これはまさに「哲学的な態度」の根本を示す例です。

哲学は、何よりも「自分の無知」と常に向き合い、それによって推進力を得ていく営みだからです。

○「分かる」とは言葉を使って「分ける」こと

私たちは何かを「感覚的に理解する」ということがあります。「何となく感覚ではわかった」とか、「身体が覚えている」とか、「イメージできた」といった経験です。しかし何かを感覚的に捉えただけでは、哲学思考とはいえません。

こうした感覚があるからこそ、私たちは車の運転ができ、料理を楽しみ、スポーツをすることができます。

しかし、**哲学思考は、言葉や概念を使って現象を説明することを含みます。**

哲学とは、結局のところ、究極的に「言葉」の営みだといえるのです。

もう少しいうと、「わかる＝分かる」とは、文字通り、何かを何かから「分ける」ことです。ドロドロとしていてよくわからない感覚や感情、カオスの状態から、「ある部分を切り取る＝分かつ」ことを通じて、私たちは事象を「分かる」ことができます。

つまり、**言葉になっていないために正しく認識できなかったものを、「概念」や**

「言葉」を使うことによって区別し、把握するということです。

たとえば、赤ちゃんの見ている世界は、すべてのものが「未分化」かもしれません。しかし、手で触れてみることや言葉を獲得していくことで、世界を「分けて」いきます。こうして、「親」を自分の外部に認識するようになり、「単なる緑のかたまり」を「森」や「木」、「葉」として、それぞれが別のものであることを「理解する＝分かる」ようになるわけです。

何らかの答えを求める場合は、自分から物事をわかろうとする積極性が必要です。前述したように、哲学思考ではこうした「わかりたい」「考えたい」という主体性が欠かせません。

思考には罠がある

「思考」という言葉、とても多義的だとは思いませんか。最近では、「デザイン思考」、「批判的思考」、「論理的思考」などといった言葉もよく聞かれるようになりました。ここからは「思考」という営みそれ自体を紐解くことで、「哲学思考」の本質に迫ってみたいと思います。

○「思う」と「考える」の違い

「思考」という言葉自体が、「頭に浮かぶアイデアや考えのすべて」を指すとしましょう。この意味で、私たちは寝ているときでもなければ、常に何らかの「思考」を意識にめぐらせています。

たとえば、お腹がすいたと「思う」、雲を見てクジラを「想像する」、離れている家族に「思いをめぐらせる」、沖縄に行きたいと「思う」などなど。「無になる」ことがほとんど不可能なほど、私たちは常に何かを「思って」います。

このような思考の作用を、便宜的に「思う」という動詞で表現してみます。

●思う＝消極的

「思う」とは、「思いつく」「感じられる」といった類の思考です。つまり、偶然心に浮かんだり、脳裏をよぎることを意味します。そこには、「消極的で、受動的な側面」が含まれます。

「感じる」という動詞のイメージに近いともいえるでしょう。それは「よく考えた結果」ではなく「反射的」に、「許せないと感じた＝思った」とか、「退屈だと感じている＝思っている」などの状態を表しています。

●考える＝積極的

ここで、**「思う」と「考える」の違い**に注目してみましょう。「思考」という語にある「思」「考」２つの動詞の違いです。

普段あまり意識されませんが、**本書で捉えたいのは、「思考」のうち、「思う」でなく「考える」ほうであるとあえていいたいのです。**

区別してみると、「考える」は、「思う」に比べて積極的な行為だといえそうです。「問題を解いてみる」とか、「条件を考慮に入れる」といった主体的な思考を、ここでは「考える」と捉えてみます。

そして「考える」ことの中でも、本書で取り上げたいのは「反省的に考える」、「批判的に考える」ことです。

○ 反省的に考えること

クイズや計算のように一つの正解にたどりつくプロセスも、「考えること」といえそうです。しかし哲学思考では、**簡単に答えのでない問いを考えます。**その特徴は、反省的に考えることだといえるでしょう。

では、「反省的に考える」とは、どういうことでしょうか。

雲を見て「クジラを連想する」。読書中に突然、関係のない頼まれごとを「思い出す」。これらは単なる「思いつき」にすぎません。

一方「反省的に考える」とき、私たちの頭の中では**「一つの考えとほかのアイデアがつながっていく」**ということが起こります。

ある考えが、すでに考えた別の考えに「関連付けられていく」こと。そして、こうしたアイデアや言葉の関係を「何度も往復して考えていく」こと。これが「反省的に考える」ことです。ただ思いつきやアイデアが意味もなく生まれるわけではありません。

こうして自分の考えたアイデアや概念が芋づる式につながってゆき、一つ一つがはじめの大きな問題を解くための「ヒント」となるのです。

この過程は3章で詳述しています。

とはいえ、その一つ一つが信頼できる「材料」や「武器」でなければ、哲学思考の準備は整いません。

これは、家作りに「基礎」が重要であるのと似ていて、土台をしっかりと踏み固めていく作業です。家を構成するパーツは、「家」という全体を支えるために適切に組み立てられることになります。土台や柱がしっかりしていない家は、すぐダメになります。設計するとき、玄関を屋上に作ったりしません。「玄関」というパーツが「部屋」や「廊下」と適切に関連付けられねばならないからです。

○ 主張はどんどん変わっていい——あえて判断を先延ばしにする

主張それ自体は、どんどん変化して構いません。社会生活の中では、しばしば「一貫した立場」や「固い信念」をもつことを期待されます。しかし、変化することは決して悪いことではありません。生きていく過程で様々な経験をし、自分の立場や価値観の変化を感じることは、むしろ思考が深まっている証拠にほかなりません。

一方で、変化することは、「しんどい」ことでもあります。

反省的な思考は、自分の中に「不安定な状態」を発見し、「認める」だけでなく、「その状態を維持する」プロセスでもあるからです。

「問題が問題であることを認める」こと、自分が無意識に抱えているかもしれない「独断」や「偏見」に向き合うことを迫られます。

この作業には、心理的な負担がかかります。

私たちは通常、安定した状態、疑念や不安のない状態を好みます。問題などない（ようにみえる）ほうがいいに決まっているからです。自分の中に未解決の問題を見て取ろうとするなら、自分の欠点や不安、不確定性と向き合い、耐えなければなりません。しばしば、私たちはそれに耐えられず、自己欺瞞に陥ります。しかし、**哲学思考では、自分の不完全性に向き合い、自覚的になることを強いられるのです。**

問題とはカオスであり、不安定な状態です。この状態を認めることに耐え、あえて「判断を先延ばしにする」という努力を経て、ようやく「解決された」、「秩序ある」、「安定的な」状態へと昇華させられます。

○ 4つのイドラ——フランシス・ベーコン

反省的な思考を続け、誤った思考に陥らないためのヒントとして、哲学者の思想も参考にしてみましょう。

フランシス・ベーコンという哲学者がいます。彼は、人間が物事を考え認識するときに陥りがちな「罠」を、4つの「イドラ（先入観・偏見）」として提示しました。

❶ 種族のイドラ

これは、私たちが「人間であること」によって起こる「イドラ」です。

私たちは「人間」の身体や感覚を通してしか、物事を認識したり考えることができません。しかし、たとえば他の動植物（＝種族）からすれば、世界はまったく違って見えているはずです。魚眼レンズとか、色を識別できない虫の目を想像してみれば、人間が見る世界がいかに一面的かわかります。

そこで私たちは、あくまで**「人間」という視点からすべての物事を理解していることを意識する必要がある、**というのです。

これを乗りこえるのは現実的にはなかなか難しいかもしれませんが、次の3つなら、注意できるはずです。

❷ 市場のイドラ

これは、私たちの「コミュニケーション」に起因するイドラです。

私たちは「市場」、つまり「巷」で聞いたことを簡単に鵜呑みにしてしまいます。しかし、それが信用に足るものなのかどうか、本当かどうかわかっていないこともしばしばです。

私たちは、言葉をかなり曖昧に扱っています。そして、自分が普段使っている独特な言葉の使用法や意味に基づいて言葉を話しています。つまり、ある言葉に対して込めている意味が、人や話す文脈によって異なるのです。会話の際、よく理解できずに聞き返したところ、「ああ、そういう意味でいってたんだ」と納得した経験はありませんか。

このように、**一つの言葉や話は、「伝言ゲーム」のごとく内容や解釈を変え、人から人へと伝わっていきます。反省的に考えるときには、こうした「伝聞」や「言**

葉」の意味に対して、慎重になる必要があるというわけです。

❸ 洞窟のイドラ

私たち一人ひとりは、別々の狭い洞窟のような環境で育ち、そこから世界を見ているにすぎません。このイドラは、私たち一人ひとりが異なった「個人」であることに起因するのです。

自分とまったく同じ経験をもつ人など、世界に一人として存在しません。その意味で、私たちは自分の受けてきた教育、環境、言語使用からしか世界を見られないわけです。

たとえ「人間」同士でも、「同じ国の人」でも、あるいは「同じ村の人」や「家族」でさえも、異なる人であることに違いありません。だからこそ、私たちはあくまで**「自分という特殊な観点」から世界を見ていることに自覚的である必要があります。自分が見ている世界は、隣の人の見ている世界とは異なっているのです。**

❹ 劇場のイドラ

私たちはしばしば、権威や能力のある人、年上の人のいうことを信じがちです。彼らは、「劇場＝世界の表舞台」に立っています。しかし、彼らがしばしば誤っているということも、ニュースや新聞を見るまでもなく、誰もが経験しています。たしかに、既存の権威や伝統、規範に対して盲目的になってしまうこと、無批判になってしまうこと、熱狂的になってしまうことは、よくあることです。こうした経験なしには、私たちは生きていくことすらままならないでしょう。

他方で、**本当に自分自身で思考しようとするとき、このイドラに対して盲目的であることは、大変危険であること**もまた事実なのです。

○ 感情と理性の関係——ジョン・ロック

ジョン・ロックという哲学者は、これとは少し違った視点から、私たちが誤った信念を形成してしまう3つのパターンについてまとめています。

❶ 自分で考えず、信頼できると思う人に従って行動してしまう

自分で考えることは、難儀です。自分自身と誠実に向き合い、これまで信じてきたものを疑い、破壊し、ときには孤独であることを迫られる経験だからです。そのため、信頼している人の考えに自分の思考を代えてしまうということが起こります。これは、「劇場のイドラ」にも通じる考え方です。

❷ 感情に任せて、理性的に考えない

その時々の気分にまかせてしまったり、自分の支持する集団の考えに理性を代えてしまうこともあります。このとき、私たちは簡単に過ちを犯します。自分一人で理性的に考えることだけが常に正しいとはいえません。それでも私たちは経験的に、「感情的になったときの判断がしばしば誤っている」という事実もまたよく知っています。

❸ 理性的に考えようとするものの、問題の全体を見ようとしない

私たちはつい、自分に都合の悪い面からは目を背け、関心のあることだけにコミットし、関心のある人とだけかかわろうとします。これでは、「全体を考えること」からは遠ざかってしまうでしょう。無意識に陥ってしまう自己欺瞞や、自分への甘えの中で、特定の側面を「見て見ぬふりをしてしまう」ことには注意する必要があります。

哲学思考に必要なマインド

こうした「思考の罠」に陥らないためには、次の5つのマインドが大切になります。

①オープン・マインド

文字通り「開かれた心構えでいる」ことです。どんなことも即座に受け入れるべきだという意味ではありません。どんな「常識」や「普通」の感覚も深く疑ってみること、自分とは異なる意見や突拍子のない意見に対しても「オープンであること」、つまり「受け止めてみる」ということです。

「受け止める」ことは、「受け入れる」こととは異なります。つまり、どんなことでも「肯定する」ことではありません。**まずは「その立場になって理解しようとしてみる」**ことです。逆にどんな前提や常識も、まずは取り払ってみる、疑ってみるという意味での「オープンさ」もまた、必要です。

②コミットメント

問題に誠心誠意向きあって、「その状況に自分を投げ込んでみる」ということです。

繰り返しになりますが、私たちは「本当に気になること」でなければ、よく考えることなどできません。そのためには、問題がまずは自分自身に関係することが重要ですが、必ずしもはじめからそうとは限りません。

直接関連がなさそうでも、**まずは「自分に関係のあることだと想定してみる」**ことも重要になってきます。まずは一歩踏み出して考えはじめてみる心の習慣があるといいでしょう。

よくよく考えてみると、世界で「自分とまったく関係のないこと」を探すほうが難しいとは思いませんか。次章で私は「コップをテーマに哲学する」ことにチャレンジしています。確かにコップは、私にとって最もどうでもよいテーマでした。しかし実際に考えはじめてみると、意外と興味深い議論になったということが、哲学では頻発するのです。

はじめは関心がもてなくても、考えはじめてみるといつの間にか夢中になっている、という経験を楽しんでいただけたらと思います。

英語で、「関連がある（relevant）」という語は、同時に「重要である＝意味がある」ことを指します。様々なことを自分に「関連付けて」考えられるようになれば、そこに「意味」を見出せるようになるでしょう。

③クリエイティビティ

批判的に疑ってみることは哲学思考の要です。しかし、「批判的であること」だけが「哲学的であること」ではありません。どこかで、**すでにあるアイデアや事実・観察から、新たな「可能性」や「代替案」に飛躍する**こともまた必要だからです。

もちろん、安易に論理や推論を飛躍させることは危険です。他方で、慎重な批判を常に欠かさないようにさえすれば、あえて豊かな想像力を抑圧する必要はまったくないのです。

④セルフ・リライアンス

他人の意見、特に、信頼できる人や親密な関係をもつ人の意見に迎合せず、**自分の「自律性」を信頼する**ことも重要です。**まずは自分の経験から、自分の言葉で考えてみる**べきでしょう。自分の大切な人や好意をもっている人と、「彼らのもつ知識や意見の真偽・正当性」は切り離す必要があります。

権威や他人に頼らず、自分の力で考えることに「自信をもつこと」が大切です。この「自己信頼」によって、安易に答えようとするのではなく、あえて「問いを重ねていく力」を得られます。

⑤トランスフォーメーション

思考を重ねる中で、自分の考えがうつり変わっていくことを、まずは**「楽しむ」**ことも大切です。

変化はときに、痛みを伴います。哲学思考は、自分がこれまで信じてきたこと、よりどころにしてきたものを疑い、破壊することもあるからです。

しかし、「自分」なるものが確固として存在し、常に一貫しているなどということはありえません。私たちは皆、常に変容し続けているからです。

考えを進めていく中で自分の意見は変わっていい、そして問いも変わっていいのです。そのためには、何よりも「自分が変わっていく感覚を楽しめること」が大切です。

○まずは心を自由にしよう

マインドセットを確認したら、あとは自由な心になって哲学することを楽しむだけです。

心の中の疑問や疑念、驚き、怒りに忠実に、素直になってみましょう。

私たちはしばしば、社会生活に適応したり、仕事や特定の目的を達成しようとするあまり、自分の感覚や心の働きを無意識に抑圧してしまうことがあります。

誰もが一度は子どものころに、「死んだらどうなるのだろう」とか、「神様っているのかな」と素朴な疑問を思い浮かべたことがあるはずです。

こうした「原初的な感覚」「子どものときの感覚」を取り戻したいのです。

頭や体の中にある「違和感」や「モヤモヤした感覚」、まだ「言葉になっていないもの」。それを徐々に言葉に落とし込んでいけるよう、落ち着いた心の状態をつくります。

慌ただしい日常で、自由に思考するのはなかなか難しいものです。自由な思考は、「目的達成への最短ルート」とは限らず、むしろ遠回りだと感じるかもしれません。

しかし、それは哲学するための不可欠なプロセスです。

心落ち着く状況を整えるステップは、哲学思考をはじめる前のウォーミングアップを兼ねています。

散歩をしたり、部屋を暗くしたり、お風呂に入ったりと、各々にとって最適な環境づくりがあるでしょう。ポイントは、他の目的に気を取られない、静かで自由な時間・空間です。

2章まとめ

○ 哲学は「わかり」の経験。言葉を使って「わかる」と「わからない」を整理することで進んでいく。

○ 考えていくうちに主張はどんどん変わっていい。

○ 思考の罠（先入観・偏見）に陥る可能性が誰にでもある。

○ 思考の罠に陥らないために以下の5つのマインドが大切。

① オープン・マインド／自分と異なる考え方でも理解しようと努める。

② コミットメント／どんなことでも「自分に関係がある」と想定してみる。

③ クリエイティビティ／批判的に疑いつつ、新しい可能性や代替案を探る。

④ セルフ・リライアンス／自分の経験から、自分の言葉で考えてみる。

⑤ トランスフォーメーション／一貫性にこだわらず、考えが変化することを楽しむ。

第3章

問いの立て方

「問う」に慣れる
―問い出しの練習

ここまで触れてきたように、哲学思考は「問いを立てる」こと、そして「問いに問いを重ねていく」ことで深まっていきます。そのため、最初のステップである「問いの立て方」が何よりも大切になります。

ところが私たちは、問いを組み立て重ねていく教育を十分に受けていません。学校教育では多くの場合、「問い」ではなく「答え」、それも「たった一つの正解」をいい当てることが求められてきたからです。

つまり、**私たちは問うこと自体に慣れていない**ということです。

まずは、次のエクササイズで「問う」に慣れるところからはじめてみましょう。

○ 問い出しのエクササイズ

哲学は、どんな些細なことでも対象にできます。ためしに、ウォーミングアップとして、他愛のない問いで哲学するというゲームをしてみることがあります。たとえば、今ここにコップがありますが、なんとこれでも、哲学思考を試すことができます。まずはコップについて、思いつく限りの問いを書き出してみます。問いが「哲学的」かどうかは、この時点で気にする必要はありません。

A群

- コップは、いつ誰が発明したのか――どのくらいの時期から使われているのか。
- どれくらいの種類のコップが、世界には存在するか。
- コップをもたない文明はあるか。あるとすると、どのように水を飲むのか。
- (この) コップは何でできているか。高さや重さはどれくらいか。
- どの材料でできているコップが一番流通している・使われているか。
- コップは、なぜ「コップ」という名前なのか。

・コップの各部分に、それぞれ名称はあるのか。
・世界で一番高い、または安いコップはいくらか。
・（考えにくいが）コップが嫌いな人・好きな人はいるか。いるとすればなぜか。
・コップが特別な意味をもつときがあるのはなぜか――たとえば、「優勝杯」など。

B群

・コップから音を出してすすって飲むのは失礼にあたるか。そうだとすればなぜか。
・このコップを今ここで落としたら割れると本当にいえるか。
・「割れたコップ」には価値がないといえるか。
・「割れたコップ」は、コップか。
・コップを「大切にする」とはどういうことか。使うべきか、飾るべきか、しまっておくべきなのか。何が「コップを大切にする」ことになるのか。
・今ここにあるコップは、本当に存在しているといえるか。
・（今は見えていない）コップの「底」は、いま確かに存在しているといえるか。
・（この白い）コップは、暗闇でも「白い」といえるか。

・コップに「本質」は存在するか。「飲む」という用途に使用することが、コップの本質だといえるか。コップがコップであるための条件は何か。

以上の問いは、私が本書を書きながら実際に友人と出しあってみたものです。

もちろん、普段コップについて考えてみようとは思いません。

そのため先に触れた「問いを自分ごととして考えたいかどうか」という点とは矛盾しているように思うかもしれません。

しかし、**このように問いを立てることに普段から慣れておくと、「考えたい」と思える範囲が広がるということも、お伝えしたかったのです。**

実際その友人とは、数時間にわたってそれぞれの問いを議論しましたが、どれも大変興味深いテーマであることがわかり、私たちはコップに対する愛を深めました。

問い立ての習慣、つまり哲学する習慣は、身の回りのことに思いを馳せ、どんなことに対しても疑問をもたせます。**「疑問をもつ」とは、「関心をもつ」ことと同義**

です。好きな人のことを「もっと知りたい」と思うのと同じことだといえます。

ここでいいたいのは、「問いを立てる能力や習慣」の大切さです。

常識に捉われず、どんなことでもまず「批判的に疑ってみる」というエクササイズをしてみることで、哲学思考に必要な感性が育まれます。

みなさんは自分の関心のあるものからで構いませんので、ぜひチャレンジしてみてください。

問いを立てるステップ

問いを立てるウォームアップができたら、哲学思考の具体的なステップにうつりましょう。

○STEP1　テーマを決める

まずは考えたい「テーマ」を決めてみてください。普段悩んでいること、迷っていることがあれば、それは「テーマ」だといえるでしょう。

たとえば「自分の人生について」とか、「仕事の成功について」。とはいえ、この状態ではまだ、単なる「テーマ」にすぎません。

しっかりと考えていくためには、これを「問い」に変える必要があります。

○STEP2　疑問文で問いを立てる

「自分の人生について」「仕事の成功について」というだけでは、どのように考えはじめればいいのかが不明確です。

何か「について」考えてみたいとき、**「なぜそれを考えてみたいのか」、「そのテーマの何について考えてみたいのか」というポイントが必ずあるはずです。**

次のステップとして、それを探りあてるために最初の問いを立ててみましょう。

ポイントは、**必ず「疑問形」の「文章」にする**ことです。

たとえば先の2つのテーマなら、次のように変換できます。

・「自分の人生について」→「人生の意味とは何か」
・「仕事の成功について」→「何をもって成功というのか」

こうして問いの焦点を絞ることで、**何を、どのように、なぜ問うのかが、自分の中ではっきりしてきます。**

もちろん、終始その角度からだけ考え続けなければいけないということではありません。目的は、**「問いの方向性」を見定め、「問いの動機」をはっきりさせる**ことです。問い立てのコツは、テーマや問いの動機によって変わるため、87ページ以降にまとめました。ここでは一旦、全体のステップをたどっていきましょう。

○ STEP3　問いを派生させていく

次は、STEP2の問いから、問いを派生させていきます。

一つの問いの中には、それを解く「パーツ」となる多くの問いが潜在的に含まれています。それらをリスト化していきましょう。

考えを進める中で、リスト化した問いも網羅して考えていくことになります。

例として、先ほどの「仕事の成功について」の続きを考えてみましょう。

このテーマを「何をもって成功というのか」という問いに変換し、「他者から認められること」という答えがあがったとします（85ページ）。

すると、ここでまた「他者から認められるとはどういうことか」という新たな問いが生まれてきます。ここから、さらに次のような問いが生まれてきます。

・ここでいう他者とは誰のことか
・承認されるとはどういうことか
・なぜ他人から認められたいのか
・そもそも認められることは本当によいことなのか

これらはすべて、最初の大きな問いを解くための鍵となります。

○「わかる」と「わからない」を同時に増やす

このように、一つ考えはじめると、あれもこれも考えなければいけないことになります。つまりそれは、**「わかる」を増やすことであると同時に、「わからない」を増やすプロセス**でもあるわけです。

なんだかちょっと、面倒くさそうと感じるかもしれません。「わからない」と「わ

STEP 1 考えたいテーマを決める

（例）
仕事の成功について

STEP 2 疑問文にする

（例）
何をもって成功というのか
└→他者から認められること

STEP 3 問いを派生させていく

（例）
他者から認められるとはどういうことか
└→ここでいう他者とは誰？
└→認められるとはどういうこと？
└→なぜ認められたい？
└→認められるのは本当にいいこと？

かる」を同じだけ増やしていくのであれば、意味がないのでは？　と思う方もいるでしょう。しかし、そうではありません。

一つの問いを考えるために、関連するほかの問いについて考えていく中で、言葉や概念の意味が徐々に明らかになってゆきます。

こうしたプロセスを経て「次の問い」に行きついたとき、ここには一つの「マイルストーン」ができあがります。

マイルストーンとは、自分自身で考え、吟味した一つ一つの問いや言葉のことです。それらは、問いを考えるとき、いつでもそこに立ち戻り、参照できる「ヒント」になるのです。

このマイルストーンをたくさんつくって相互の関係を反省的に考えることで、ゆっくりと問題を解きほぐし、全体を見直しながら核心に迫っていく。それこそが、哲学思考の骨子となります。

問いを立てるコツ

次に「問いの立て方のコツ」についてご説明します。
ここで、先ほどの「コップ問題」に少しだけ戻ってみましょう。

○問いには2種類ある

77ページで、コップについて思いつく限りの問いを出してみたのでした。そこでは、問いの種類を大まかに、AとBの2つのカテゴリに分けています。
ここで一度、分類の基準を考えてみましょう。

A群は、「インターネットや本で調べれば答えのわかる問い」だといえます。

ところがB群は、必ずしもそうとはいえそうにない問いです。

その違いは、「調べればわかることかどうか」「計測すればわかるかどうか」といえそうです。

A群は、「答えが簡単に導き出せる問い」である、ともいえます。というのも、その答えは（研究や実験など学術的な議論があるとしても）ひとまず定説や常識のようなものがあったり、測ればわかるようなものだからです。

「ググってもわからないことを考える」とお伝えしたように、**哲学では「明確な答えを簡単には導けない問い」を主な対象にします。**まずはそこを押さえておきましょう。

○その先に「答え」はあるのか

「明確な答えを簡単には導けない問い」。この表現には少し慎重にならなければなりません。なぜならそれは「答えがまったく存在しない」というわけでもなければ、「はっきりした一つの答えがある」ともいえない、非常にやっかいなものだからです。

哲学で扱う問いは「答えを簡単には導けない」ものの、「答えが存在しない」ともいい切れません。そもそも、そういい切る根拠がないからです。

なぜこんな話をするかというと、**「Aの問いも、Bになりうる」「Bの問いもAになりうる」**とお伝えしたいからです。

私たちは、**「究極的な答えがどこかにあるかもしれない」、より譲歩すると「究極的には地球上の人間全員が合意できるような答えがあるかもしれない」という考えのもと、問いにかかわっていくこと**になります。

他方で、「確実な答えが導ける」ともいい切れません。そもそもB群のような問いに対する答えが「確実に正しい」ことを「誰が」決められるのでしょう。誰にも決める権利はないのです。

○どんな問いも哲学的な問いになる――問う「角度」を変える

たとえば、「江戸幕府を創設したのは誰か」は、「歴史的な事実」にかんする問いであって、「哲学的な問い」とはいえません。しかし、「私たちは、なぜ徳川家康について学ばなければならないのか」ならば、哲学的な問いになります。

もう少しひねって「江戸幕府を創設したのが徳川家康であることが事実だとして、そもそも事実とは何か」という問いも、哲学的に考えることができるでしょう。

これなら「歴史を学ぶ意味とは何か」「どのように検証されたことであれば事実と呼べるのか」という問いになるからです。

従って、一概に「この問いは哲学的だ」とか、「この問いは哲学的ではない」と決めつけるのは早計です。このように、問う角度によって、潜在的に哲学的な問いになるものがあるからです。

むしろ、ほとんどの問いが実際にはそうであるといえます。

たとえば、A群の「コップは、なぜコップという名前なのか」。これは「コップの歴史」を調べてみればよいことです。「○○が、コップと名付けた」という歴史的経緯がわかるかもしれません。

これ自体は、単に歴史的な事実にすぎません。

ただし次のように変えてみると、哲学的な問いになります。

・そもそもなぜ物や人には、名前があるのか。
・名前の意義とは何か。

「世界で一番値段の高いコップ」の問いなら、ギネス・ブックを参照すれば、簡単にわかるかもしれません。哲学的な問いにするなら、次のように変換できます。

・物の価値はどのようにして決まるのか。

「優勝杯のように、コップが特別な意味をもつのはなぜか」なら、次のような問いに一般化できます。

・モノが何かの象徴となったり意味を与えられるとは、どういうことか。

このように問いの「角度」や「表現」を少し変えてみることで、問いを深めていく重要な前段階が整います。

問いの変換には、次のような3つのコツがあります。

この作業は、最初だけでなく、考えを進めていくプロセスでも適宜行ってください。重要なのは、考えはじめる前でも最中でも、**「問いの焦点があっているか」、「問題設定が曖昧でなく、エッジのきいたものになっているか」、「なぜそれを問いたいのか」を確認し続ける**ことです。

○問い立てのコツ①——根源や意味にさかのぼる

私の活動の一つに、哲学思考を他者と協力して進めていく「哲学対話」（5章）の活動があります。そこでは、生きる意味とは／成長とは／愛とは／死とは／自由とは／平等とは／正義とは／平和とは何かという問いがよくあげられます。

いかにも「哲学っぽい」と感じるかもしれません。しかし「～とは何か」と問うこと、つまりその「根源」や「意味」にさかのぼり、「本質」や「共通了解」からはじめるのは、最も手っ取り早い問いの立て方です。

○問い立てのコツ②——善悪や価値、べき／べきでないを問う

こうした深淵なテーマはちょっととっつきにくいと感じるなら、もう少し身近な設定にしてみましょう。**単純に物事の「善悪」や「価値」、「べき／べきでない」を問うてみるのもいいでしょう。**

すると、「問いの焦点」があわせやすく、考えるとっかかりを見つけやすくなります。

たとえば以下のような問いです。

・友達は多いほうが本当にいいか。
・仕事の人間関係とはどのようなものであるべきか。
・空気を読むのはよいことか。
・人に迷惑をかけなければ何をしてもよいか。
・人と比べるのは悪いことか。
・利己的でない行為は存在するか。
・死刑制度は正しいといえるか。

これらの多くは、実際に「哲学カフェ」（132ページ）や、「哲学対話」で実際に出された問いです。どれもユニークで切実な、哲学的に深めがいのある問いです。

○問い立てのコツ③——自分の経験から考える／前提や定義をはっきりさせる

身近で切実な問いであることは大切ですが、次のようなことを考える場合は、少し注意が必要です。

・なぜ日本人はシャイなのか。
・なぜあの人は怒りっぽいのか。
・なぜ少子化が進んだのか。
・なぜ東京に人口が集中するのか。
・なぜ性的なことに関心をもつのか。
・なぜ人は彼氏／彼女を欲しがるのか。
・ビジネスで成功するにはどうしたらいいか。
・部下が従うようになるにはどうしたらよいか。

これらも、哲学対話でよくあげられる問いです。哲学的に考えられないわけではないのですが、「問い方」には慎重な検討が必要です。

「なぜ日本人はシャイなのか」。**この問いには、すでに「日本人はシャイである」という前提が含まれています。しかし、本当にそうでしょうか。**「シャイである」という言葉の解釈も、人によって幅がありそうです。

そこでまず、「シャイである」ことを、自分なりに定義する必要があります。「日本人は」にも注意が必要です。「主語が大きすぎる」のです。正しい答えを知りたいのなら、日本人や日本人に会ったことのある外国人にアンケートを取るべきかもしれません。しかし自分の周りの人に聞いてみたとしても、その答えは「自分の周りの人はそう考えている」ことを意味するにすぎません。

このような問いで話し合うと、「アメリカ人は罪の文化で、日本人は恥の文化だからだ」とか、「昔ある事件が起きて、それがきっかけになっている」といった意見が出ることがあります。

それはそれで「文化論」としてはおもしろいのですが、どこまでも「推測」の域を出ません。真偽のわからないまま、哲学探究はそこで止まってしまいます。

「なぜ東京に人口が集中するのか」とか、「なぜ少子化が進んだのか」、「なぜあの人は怒りっぽいのか」といった問いも同様です。個人の推測で答えるのでなければ、あくまで社会学や心理学など別の方法で検証されるべきです。しかも、その情報がインターネットや本などで手に入るのなら、哲学的に考える必要もありません。

この場合にも、「問いの変換」が有効になります。

たとえば次のように変えてみるといいでしょう。

ポイントは、**まずは自分の経験から考えられる問いにする**こと、そして、**そもそもの前提や言葉の定義をはっきりさせる問いにする**ことです。

- シャイであるとはどういうことか。
- 怒りとは何か。
- 子どもをもつこと／もたないことの意味とは何か。

学校では、「なぜ人は性的な関心をもつのか」、「なぜ人は、彼氏／彼女を欲しがるのか」といった問いを提案されることもあります。

こうした問いに思いをめぐらせるのは実に楽しいものです。しかしこれも、生物学や文化人類学的な知見に頼る方向性で考えるのであれば、建設的とはいえません。

この場合なら、「セックスと愛はどのような関係にあるか」や「法的な制度でないのに、なぜ彼氏や彼女といった枠組が重要なのか」と変えてみると、より深めがいのある問いになるでしょう。

コツ②のように、価値を判断する形式の問いに変えるのも一つです。「なぜ重要なのか」、「なぜ善いのか」といった形にすると、対立軸や理由をもとに、哲学的に考えを進められるからです。

たとえば、「ビジネスで成功するためにはどうすればよいか」、「部下が従うようにするにはどうしたらよいか」。ビジネスパーソンとの哲学コンサルティングの場で、非常によく出される問いです。

「なぜ重要か」「なぜ善いか」を問い、図（99ページ）のようにしてみるのもいいでしょう。

ビジネスで成功するためには どうすればよいか

└→なぜビジネスで成功するのはよいことなのか

└→なぜ私は成功したいのか

└→ビジネスの成功は、人生の成功とどのように関係するか

部下が従うようにするには どうしたらよいか

└→そもそも人を従わせるとはどういうことか

└→それは望ましいことだといえるか

○自分だけの答えを見つける

大前提として、即効性や具体性を求めるなら、マネジメント本やビジネス本を読むことをおすすめします。そこには、すぐに試せる様々な対処法や解決法が書かれているでしょう。

しかし本書の趣旨は、これとは少し異なります。

哲学思考で捉えたいのは、具体的方法の前段階にある、私たちの価値観や目的そのものであり、その前提や理由を吟味し、改変することです。それによって、自分に合う具体的な方法を探っていくのです。

小手先のテクニックやメソッドは「他人が、あくまでその人の境遇や環境で、実はそこに書かれていない他の要因も重なって、たまたま成功した例の一つにすぎない」かもしれません。それが自分の問題解決の場で、同じように機能する保証はどこにもありません。

誤解を恐れずにいうなら、哲学思考はそれらよりよほど役に立つはずです。「わかりやすい他人の仮説や成功体験」に乗るのではなく、まずは自分で考える。それでこそ、自分にとっての有効な解決策が見つかります。

自ら考え構築した哲学は、何よりも自分自身のものであり、だからこそ柔軟で、うまくいかなければ変えることもできるのです。

まずは問いを立てること、そして、問いの中にある「大前提を崩す」ところからはじめましょう。

次章では、哲学的に変換した問いから、さらに思考を進めていく方法をご説明します。

3章まとめ

○「答え」よりも「問いの立て方」が重要。

○ 角度を変えれば、どんな問いでも哲学的問いになりうる。

○ まずは疑問文で問いを立て、そこから問いを派生させていく。

○ 問い立てのコツ

① 根源や意味にさかのぼる。

② 善悪や価値、べき・べきでないを問う。

③ 自分の経験から考える。

○ 哲学思考では、自分に合う自分だけの答えが見つかる。

第4章

思考の深め方

3章の発展

本章では、3章で立てた問いをさらに深めていく方法をお伝えします。

○まずは具体的な経験や状況、例を思い浮かべてみる

問いは、多くの場合、自分の経験から生まれてきます。

「その問いを考えてみたい」と思ったきっかけ、具体的な状況や場面があれば、それを思い起こしてみましょう。

ケンカしてしまい、人間関係に悩んで出した問いだとすれば、ケンカの場面・状況を思い浮かべる、ということです。

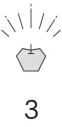

この方法が有効な理由は、2つあります。

第一に、先のコップの例とは異なり、**自分自身の経験から考えられること。そして、自分が本当に気になっていることを考えられる**こと、です。

第二に、**思考を進めていくうえで、いつでもこの例に戻って考えることができる**、つまり、方向性や焦点がズレていないかを確かめる「参照先」をもてることです。

こうした経験を、哲学者のジョン・デューイは、「プライマリー・シチュエーション＝原初的な状況」と呼びました。これは、「いつも通り職場までの道を歩いていく」とか、「いつも通り朝食を食べる」といった、単なる「ルーティーン」とは区別される、「質的な経験」のことです。

たとえば、「人生を変えるような出会い」、「身近な人の死」、「看過できない不正との遭遇」、「海外留学で受けたカルチャーショック」、「恋人にフラれた経験」、「見ず知らずの人から予想外に親切にされた」など、なんでもありえます。

それは、「特別な経験」「記憶に残る経験」ともいえます。ある状況や経験が、何らかの感情や感覚（驚嘆や怒り、喜び、悲しみ、不思議）によって、「特別なこと」

と認知され、記憶に深く残るような経験のことです。

私たちに思考するよう、むしろ「それ自体の方から、迫ってくるような経験」が、誰にでもあるのではないかと思います。

哲学思考は、こうした特殊な経験、独特の悩み、苦悩から始まります。そのときの状況を思い浮かべながら、「本当の幸福について考えたい」、「家族のありかたについて考えたい」、「友情や愛について考えたい」といった、根本的なテーマを思い浮かべるかもしれません。

これらを、前章で述べたように、明確な「問い」の形、つまり「疑問形の文章」にしてみましょう。

前章のステップと同じことを、ここでも繰り返します。

○似たような経験、反例となるエピソードを思い浮かべる

「原初的な状況」だけでなく、それに関連する経験や似たような状況、あるいは反例となるエピソードなどがあれば、それも思い浮かべておくと役に立ちます。

たとえば、「恋人にフラれた」という悲嘆から、恋や愛について考えたいと思ったとします。しかし、別の人と別れたときもそうだったでしょうか。「いや、そうは感じなかった」とか、「ちょっと違った感覚をもった」ということがあるかもしれません。

あるいは、「とんでもない不正を目の当たりにした」としましょう。ところが、思い起こしてみると、同じようなことを見たり、実は自分もしたことがあるのに、そのときは不正だと思わなかった経験があるかもしれません。

こうした経験があれば、比較してみたいのです。

なぜ違って感じられるのでしょうか。すでにある事実を観察したり、比較することがポイントです。いま抱いている感情や意見、疑問をできるだけあげてみましょう。これらをブラッシュアップして、何を考えたいのか、どういう動機があるのかを確かめることからはじめていきます。

具体的な状況や事例を思い浮かべ、問いを形成できたら、次のステップにうつりましょう。ここまでのステップは、前章の発展的なおさらいを兼ねています。

哲学思考を深める6つの方法

ここから、本題の哲学思考を進めていきます。

以降で、重要なポイントを6つ提示しています。順序は問わないので、これを自分の問いに「突き付けて」みましょう。

このプロセスで、様々なアイデアや考えが生まれては消えていきます。

それらが必ずしも役に立つとは限りませんが、勝手に心に浮かんでくるアイデアやひらめきはコントロールできません。最初は「ひらめき」や「思いつき」に頼るしかないので、それで大丈夫です。このひらめきやアイデアを「料理」していきましょう。

しかしそれは、まだ何の検証もされていない段階の、いわば「生の食材」です。思いつきのアイデアをそのまま使うことはできません。「腐っている（間違ってい

1 定義・意味を問う

2 区別し、関連付ける

3 慎重に一般化する

4 隠れた前提や理由、判断基準を疑う

5 思考実験を使う

6 例・反例・類比を使う

る）」かもしれないし、「ゆでないと（洗練させないと）」食べられないかもしれないわけです。「思いつき」の段階とは、「雲を見てクジラを想像する」ような、「雑念」にすぎません。これを、次にあげるポイントのいくつかを通過させることで検証し、「料理」（整理）していきましょう。

この過程を通して、「思いつき」は、「信念」や「概念」のレベルに引き上げられていくことになります。

① 定義・意味を問う──「家族や友達とうまくいかない」

端的に、「そもそも〜とは何か」、「どのような意味で、その言葉を使っているのか」を考え、確認していく作業が、まずは一番手っ取り早い方法です。言葉の意味や定義を明らかにしていく、といってもいいかもしれません。

「定義」といっても、辞書を引く必要はありません。

まずは、自分がその言説や言葉をどのように理解しているかを確認することからはじめるほうが大切だからです。

たとえば、家族や友人との関係がうまくいかずに困っているとしましょう。「家族の絆がない」「自分には親友がいない」といった悩みがあるかもしれません。

では、そもそも家族や友人とは何なのでしょうか。

よく考えてみると、実は曖昧なイメージしかもっていなかったと自覚するかもしれません。

あるいは、法律上の言葉や辞書通りの意味をそのまま受け取ってはいないでしょうか。それはあくまで、手続き上の、他人が考えた「一つの形」にすぎません。その影響をまったく受けないのは難しいにせよ、私たち自身の生き方が、それと同じである必要はありません。

よく考えていくと、「家族とは血縁関係のこと。だからどんなときでも助け合うべきだ」とか、「友人とは、常に連絡を取りあうべき存在だ」というイメージをもっていることがわかるかもしれません。

さて、ここで一度疑いたいのです。本当にそうでしょうか。それは誰かの受け売りではありませんか。自分にとって、それらはどう意味づけられるでしょうか。

考えてみるほど、隠れた前提や無意識が現れてくるかもしれません。

②　区別し、関連付ける――「部下とどう接するべきか」

2章で「わかる」という言葉を考えるときに、「分ける」という言葉についても考えました。「分かる（理解する）」ためには、「分ける（区別する）」ことが必要。その説明のために、この2つの言葉を区別し、関係を考えてみました。ここで示すのは、それと同じ方法です。

たとえば、「部下とどう接するべきか」という問い。考えていくと、「すべての部下に平等に接するべきだ」という答えに至ったとします。

ここで「平等」の意味について考えるために、似たような言葉である「公平」をあげてみましょう。

それぞれがどう区別され、自分の問いとどのように関連するでしょうか。

・「どの部下とも、同じだけの時間を過ごすべきだ」という意味で、「平等」でありたい。

・「素直な部下でも、反抗的な部下でも、態度を変えるべきでない」という意味で、

「公平」でありたい。

この2つは異なる考えです。

はじめは同じように見えていた「平等」と「公平」という言葉も、ここでは違って見えてくるはずです。「自分に大切なのは、部下への態度の公平さであって、時間の平等ではなかった」とわかったとしたら、それは思考が進んだ大きな証拠です。

部下に平等に接していない同僚の姿に違和感をもって（＝「原初的な状況」）、「部下との関係はどうあるべきか」を考えはじめたとしましょう。「平等」について考えているうちに、むしろ「平等でなくていい関係もあるのでは」と思い直すことだってありえます。

これも、考えが進んだ証拠です。この場合、最初の状況で感じたことや現状認識が間違っていたのではないか、思考のプロセスにおかしなところがないかも確認してみましょう。「一貫性」を探ってみることも、新しい気づきにつながります。

「事実（〜である）」と「価値（〜すべき）」の区別をする方法もあります。

たとえば、「この人を殴ってしまいたい」と思ったことは「事実」でも、「その人を殴ってもいい」ということにはなりません。「戦争が起きる」のは事実でも、「戦争が起きていい」ことにはならないのと同じです。

これは、「論理が飛躍している」ことになります。こうした区別に敏感でいることも、哲学思考を進める上でとても重要になってきます。

③ 慎重に一般化する――「仕事で結果を出すには？」

思考で得られた信念や規範が「どの程度まで一般化できるのか」を考えてみる必要もあります。

日常会話では、「日本人は〜」とか、「人は〜」と一般化しがちです。しかし、「特定の人やグループ」にしか当てはまらない性質を、あたかも全体に当てはまると考えるのは安易です。「すべての人間は死ぬ」「すべてのヒマワリは花である」のような内容でなければ、一番広いレベルでの一般化はできないことがほとんどです。

ですから、どの程度や頻度で当てはまるのか、確かめる必要があります。

「常にそう」なのか、「しばしばそう」なのか、「たまにそう」なのか、「まったくそうでない」のか、分類してみましょう。

たとえば、「あの部下はいつもこうだ！」と思っていたことが、「いつもそう、というわけではなかった」とわかるだけでも、自分の態度に変化があるかもしれません。こうした気づきによって、他人への寛容さに変化が起きることがあります。

「仕事で結果を出すにはどうしたらいいか」と悩んで、参考になりそうな本を読んでみたとします。そういうとき、ぜひこれを実践してみましょう。

その本で書かれていることは、本当に一般化できそうかどうか。著者の環境でうまくいった方法が、自分の環境でもうまくいくかどうか注意してみましょう。

あるいは、「自分にとっての仕事の成功」と「他人にとっての成功」は、そもそも全然違うかもしれません。自分はやりがいを第一に考えるが、あの人は収入を一番の基準としている、というように、「成功」の定義は人それぞれです。あなたの考え方は、どれだけの正当性をもってどの範囲まで一般化できるでしょうか。

④ 隠れた前提や理由、判断基準を疑う――「空気を読むことは大切?」

自分の考えや、常識、社会的な規範に隠れている「前提」を探してみましょう。「前提」とは、「～であるはずだ」、「～に違いない」といった恣意的な想定だけではありません。「～だからだ」という理由や、物事の「判断基準」それ自体でもありえます。こうしたことを、まずは言葉にしたうえで疑ってみます。

たとえば、「空気を読むことは大切だ」といわれることがあります。この主張には、「人に何でもかんでも面と向かっていうのは野暮だ」という前提がありそうです。それは本当に妥当だといえるでしょうか。本当だとして、どんなことをいうのは野暮で、それはなぜなのでしょうか。そこでの判断基準を考えると、実は「過度に空気を読んでいた」と気づくかもしれません。

「人は、マナーを守るべきである」という主張があります。その前提を考えるために、「なぜ法律を守るだけでは十分でないのか」、「マナーを守るべきなら、なぜ守らなくても罰せられないのか」を考えてみると、そこにヒントがありそうです。

もう少し例を続けます。

仕事で「この事業計画はよい」という判断は、どんな前提や理由に基づいているでしょうか。「実行可能性が高いから」なのか、「儲かるから」なのか、「かかわる人たちの親密度を上げるから」なのか、そのすべてなのでしょうか。

仮に「すべて」だとしても、その中で「優先順位」はありませんか。どの基準がもっともらしいのか、それはなぜなのかを問うていくと、暗黙の前提や恣意的な理由が見つかるはずです。それを言葉にしてみましょう。

あるいは、「人を動かすためにはどうしたらいいか」という例の場合。子どもや生徒が思うように学んでくれない。部下が仕事に対してどうも消極的だ、などなど。しかし、私たちはそもそも「人を動かす」ことなどできるのでしょうか。あるいは、本当に「そうすべき」なのでしょうか。仮に、人を動かすことに「正当性がある」といえるとき、その「判断基準」はどこにあるでしょうか。いいかえると、どのような場合に「人を動かすこと」に「正当性がある」といえるのでしょうか。

考えていくと、「本人自身の生き方にゆだねるべき部分にまで、自分が他人に干渉しようとしていた」と思い直すこともありえます。「自分ではうまくいったことだから、人も同じようにできるはずだ、そうすべきだ」という自分の行動の隠れた前提に気づくかもしれません。

「こうしたい」ではなく、その**判断の「基準」と「前提」を疑ってみる。**そして、**その「正当性」を考えてみる**とよいでしょう。

⑤ 思考実験を使う——「今の仕事を続けるべきか」

問いに対して**「仮説」**を立てること。これも有効です。

わからない部分はとりあえずカッコに入れて、考えを進めてみるのもよいでしょう。「もし仮にこうだったら、～こうなる」、「仮にこうだとすれば、どのようになるか」といった具合です。

哲学には、**「思考実験」**と呼ばれるものがあります。「はじめに」の「経験機械」も、その例の一つです。問いをよりよく考えるために「仮の状況を想定してみる」と大変役立ちます。

たとえば、「教育のあり方」について考えたいとしましょう。「もし学習指導要領にも、大学入試にも縛られなくてよいとしたら、学校ではどういう授業をすべきだろうか」と考えてみることができます。

現実には、学習指導要領にも大学入試にも縛られない学校教育はほとんどないでしょう。しかしそれを仮想してみることで、本来、教育はどうあるべきだと自分が考えているのか、浮き彫りにできます。考えたところで実際には変えられないかもしれませんが、その気づきを少しずつ授業に取り入れていくことは、大きな進歩につながるでしょう。

あるいは、仕事のやりがいや人生の意味について考えたいとき。やりたいことが見つからない、今の仕事を続けていいかわからない。そんな場合には、「もしも宝くじで1000億円当たったら、仕事を辞めるだろうか」と考えてみます。

この問いがよい理由は、まず「辞める」「辞めない」を選択し、「具体的な状況」から考えられる点です。

この思考実験では、「仕事とはお金のためだけにするものかどうか」と、考えるポイントがはっきりします。「本当に自分のしたいことは何か」を端的に突き止めることもできるでしょう。

仕事や人生、幸せについて漠然と考えはじめるのは難しいものです。そんなとき、まずは仮想でも具体的な状況から、考えるとっかかりをつくりましょう。

友情や愛情について考えたいなら、「一人の非常に親密な友人」と、「１０００人の知り合い」ではどちらがよいかといった思考実験をしてみると、同様の効果が得られます。

行為の善悪や、倫理的な問題について考えたいときには、こんな思考実験はどうでしょうか。「もし地球上に自分だけになっても、善悪は存在するだろうか」。あるいは、「もし透明になれる能力をもったら、悪事を働くだろうか」、「悪事を働くとして、それを『悪い』と判断する人がいなくても、『悪い』といえるか」など。

このように、**仮定することで「角度を変えて検討する」ことができ、その結果、思ってもいなかった前提やアイデアに気づくことがあります。**

⑥ 例・反例・類比を使う——「もっと成長したいけど、どうすればいいだろう?」

105ページで、問いについて考え始める前に、「原初的な状況」を思い起こすことが役に立つといいました。このプロセスで、「例」や「反例」をあげてみる、「アナロジー（類比）」を使ってみるという方法もあります。

これは、**「自分の中に別の人格を立ててみる」**、**「別の立場で考えてみる」**ことです。自分の経験だけにとどまって考えることには、限界もあるからです。

たとえば、「成長したい、もっと稼げるようになりたい」と悩んでいるとします。そもそも、「成長」とは何なのでしょうか。たとえば「成長」とは、一見、「拡大」「拡張」し続けることのように思われるかもしれません。

ここで、「アナロジー（類比）」として「体の成長」におき換えてみます。「身長が永遠に伸びていく」、「体重がずっと増えていく」としたら、「成長」が一概にいいとはいえなくなります。

「がん細胞が増殖し続けると自滅してしまう」という例も同様です。やはり「成長

＝拡張」がいいとは限らない、という考えが導けます。

そうすると、私たちが「成長」を、単に「（体や知識の）規模が大きくなればいい」、「（スキルやお金の）量が増えればいい」と考えているわけではないことに気づきます。だとすると、他にどのような可能性があるでしょうか。

ここで成長とは、「規模や量の増大」ではなく、「変化すること」それ自体なのではないか、という可能性を考えてみることができるかもしれません。

私たちの身の回りの環境は、常に変化しています。それに合わせて自分を変えていくことも、「成長」とはいえないでしょうか。それはもちろん、「スキルを身につける」とか、「筋肉が発達する」ことでもありえます。

しかし世界は目まぐるしく変わっていくのに、古い価値観や知識に縛られて、何も変わろうとしない人を、「成長がない人」ということがあります。

その意味では、新しいことを覚えるために、つらいことを乗りこえるために、何かを「忘れる」ことも「変化」の一つであり、「成長」と考えることもできます。

たとえば転職をして、以前とは別のスキルが必要となり、その能力が発達したとします。一方、その過程で以前のスキルは落ちてしまう。しかしそれは、「退化」でも「現状維持」でもなく「成長」といえるのではないでしょうか。

このように「変わり続ける」という意味で「成長」を捉えるとすると、これまでの考え方が変わってきます。生きていくうえで気が楽になったり、「スキルや稼ぎを増やそう」というマインドから、別の方向へ舵を切ることになるかもしれません。

このような検証プロセスを経て得られた「信念」や「概念」は、より強固になっているはずです。ただし、それもまた常に新たな経験によって刷新されていくこと、その余地があること、他者との探究に開かれているべきだということもお忘れなく。

4章まとめ

○ 問いが生まれたきっかけ(原初的な状況)を思い出してみる。

○ 上記とは別の、似たような状況を思い出して比較してみる。

○ その後、6つの方法で問いを深めてみる。

① 定義・意味を問う
② 区別し、関連付ける
③ 慎重に一般化する
④ 隠れた前提や理由、判断基準を疑う
⑤ 思考実験を使う
⑥ 例・反例・類比を使う

第5章

哲学対話

——他者と進める哲学思考

他者と共に考える

5章では、哲学思考を他者との対話の中で進めていく「哲学対話」を紹介します。基本的な心構えや考え方、深め方は哲学思考と変わりません。

それでも哲学対話を紹介するのは、自分だけで考えることには限界もあるからです。「(自分の中の）仮想の他者」ではなく、「実際の他者」と相対したときのことを考えてみてください。思ってもなかったことやユニークな意見を聞いて驚き、自分の考え方が変わることは、日常的に起こります。**他者と共に考えた方が、よりよく建設的に考えられるのです。**

哲学対話では、それを日常のありふれた「会話」の中に感じるのではなく、「対話」を通して経験する場をあえてつくります。

そこで何より大切なのは、「他者と共に考える過程」です。

一人で考えることは決して簡単ではありません。途中で諦めてしまったり、億劫になってしまうほど根気のいる作業であることは、すでにおわかりいただけたかと思います。

誰かと共に考え、問いかけられることによって、もっと考えてみようというモチベーションも得られます。他者から「見つめられる」ことで、自分自身を「見つめ直そう」と思う感覚、ともいえるでしょうか。

○孤独の中で考えることと他者と共に考えること

4章までは一貫して「自分で考えること」に重きをおいてきました。物理的にも、精神的にも、常に他人といるわけではないからです。むしろ、孤独に思考することで、よりよく自分の内面と向き合えます。

他方で、他人に自分の思ってもみない側面や考えを指摘されて、ハッとすることがあります。自分では考えもしなかったアイデアを提案してもらえることもあります。これが、哲学思考で「対話」を活用する大きなメリットです。

しかし「孤独に思考する」とは、決して消極的な意味ではありません。たとえば、ハンナ・アーレントという思想家は、「孤独」と「孤立」を区別しています。「孤独」は、単なる「寂しさ」や、他者と断絶され、社会から見捨てられている「孤立」ではありません。**孤独とはむしろ、自分と向き合い思考するために「私が私自身と共にあること」を意味しているのです。**

他者と肩を並べているとき、私たちは自分自身よりも他者と向き合っています。そこでの自分は、「みんな」の中の一人にすぎません。むしろ、その中に埋もれる心地よさや、自分自身と向き合わなくてすむ気楽さを感じることもできます。ときには「寂しさ」から、積極的にその状態を好むことさえあります。つらいことから逃げるために友達とずっと一緒にいようとするときもそうだといえるでしょう。

他者といるとき、私たちは「孤独」にはなれません。「孤独」が重要なのは、自分が自分自身と向き合うことからしか得られない洞察やアイデアがあるからです。

もっというと、思考とは本来「孤独」を原型としています。

自己や世界とは、それぞれが一つの「多面体」のようなものです。「他者（外側）から見なければわからないこと」もあれば「自分（内側）から見なければわからないこと」もあります。また、角度（見る人）によっても、見え方が違います。

しかし、どの面も自己や世界そのものであることには違いありません。そして、「内側」や「中心」から自分や世界を見つめられるのは、自分自身だけです。だからこそ、まずは「孤独に考える」ことが、思考の原型となるのです。他人の意見を聞いて変化＝成長することも、あくまで、自分という「軸」に肉付けしていく作業において、可能になるといえるでしょう。

「他者の尊重が大切」ということが、しばしばうわべの規範として叫ばれます。しかし「尊重」という感覚は本来個々人が自分の頭で考える存在であるという、一人ひとりの自律性があってはじめて成り立ちます。だからこそ哲学対話は、哲学思考を身につけてこそ、より建設的なものになるでしょう。

他方で、哲学思考を完全に一人で身につけていくのも簡単ではありません。そこで、哲学対話を通して徐々に哲学思考を身につけていくのもおすすめです。他者の助けを借りながら「考える楽しさ」にまずは触れてみるという意味で、ぜひここで哲学対話をご紹介したいのです。

哲学対話のルーツ

日本で「哲学対話」と呼ばれる活動が実践されはじめたのはおよそ2000年代以降ですが、そのルーツは大きく分けて3つあります。たびたび言及してきましたが、改めてまとめてみます。

一つは、フランスで始まった「哲学カフェ」、もう一つは、ドイツで創生した「(ネオ)ソクラティク・ダイアログ」、そして、アメリカで発展した「子どもとする哲学」です。いずれも20世紀にはじまり、現在まで世界各国・地域ごとにそれぞれ独自の展開を遂げています。

○ 哲学カフェ

「哲学カフェ」の創始者としては、フランスのマルク・ソーテという哲学者が知られています。彼はもともと、「哲学カウンセリング」と呼ばれる一対一の哲学対話の実践者でした。これは、クライアントの悩みや問題に対して、哲学的に迫っていくアプローチです。

こうした実践を背景にした哲学カフェの活動は瞬く間に知れ渡り、カフェでコーヒーを片手に哲学談議にいそしむ活動は、20世紀末には、それなりの人気を博していたようです。日本でも2000年代ごろから徐々に広まり、現在では数百に及ぶ定期的な哲学カフェが催されているといわれます。

哲学カフェの特徴は、その多様さにあります。ソーテ自身は、やや厳密な探究や進行をしていたようですが、決まった方法や進行方針はなく、主催者によって多様な形で行われます。「絵画や絵本を見ながら対話する」、「哲学書の一節を読んで話し合う」など、現在では様々なタイプがあります。自分の好みに合わせて参加できる、という自由さがよいところです。

哲学カフェは、他2つの実践と異なり、明確に教育目的で構想されたわけではありません。とはいえ、その起源がフランスだったことから、社会教育、市民教育的な役割を担ってきたともいえます（もともとフランスでは、中等教育で哲学を教える伝統があるほど、哲学が身近な環境にあります。大学入学のための資格試験「バカロレア」でも「哲学」が必修となっています）。

これは、集まった人同士、名前も出自も明かさず対話するのが基本だった哲学カフェの特徴です。もともと哲学カフェは、名前も社会的なステータスも明かさないというスタイルで行われました。こうした情報によって、発言に委縮したり、特定の人の発言に権威が生じないようにするためです。

身分も名前も明かさず、「問いの共有」だけで純粋に対話し探究する時間。それは、私たちが民主社会の市民であるための教育的機能でもあるわけです。

○ソクラティク・ダイアログ

「ソクラティク・ダイアログ（ネオ・ソクラティク・ダイアログとも）」は、ドイツの哲学者レオナルド・ネルゾンによって、20世紀初頭に、もともとは政治教育の一環として構想されました。その後、彼の弟子によって再構成され、改良が続けられてきています。特徴は、やや固定的で厳密な手続きにそって、ときには一週間以上の時間を費やしながら、哲学対話を行うことです。

その方法は、次のようなものです。

まず、テーマや問いが決められます。その後、参加者の中から、その問いを考える上でのヒント・参照先となる「具体例」を募り、良い例を一つだけ採用します。これは、「原初的な状況」（105ページ）にあたるものと考えてください。

たとえば、「常識とは何か」という問いを考えるとしましょう。「学校に奇抜な服を着ていったら、教師から常識がないと怒られ、不快だった経験」など、詳しくその経験について書き出します。その経験を分析する中で、様々な前提や理由について、一つ一つ丁寧に検討していきます。そこから徐々に抽象的な推論にうつっていくわけです。このあたりは、3、4章のプロセスとしてお話したこととも重なります。

抽象的な推論にうつっても、常に「具体例（「原初的な状況」）」に戻りながら考えます。前述したように、具体的な状況を交えながら考えたり、それを比較することが、哲学思考では非常に役に立つからです。

最終的には（「常識」がテーマであれば）、「常識とは〜である」といった文章の形で、**「一つの答え」を完成させることを目指します**（しばしば長い文章になることもあります）。

ソクラティク・ダイアログで最も興味深いのは、**「全員の合意がなければ先に進めない」という決まりがある**ことでしょう。たとえば、回答となる文章を作るうえで一人でも納得できない部分を指摘していれば、それを採用することはできません。あくまで、全員が納得するまで議論を続けることが求められるのです。

このようにソクラティク・ダイアログは、具体的な目標や合意形成によって進行されるため、とても厳密な哲学対話が行われることになります。実際に行うにはハードルが高いこともあり、簡素化して応用されることもあります。

○ 子どもとする哲学

「子どものための哲学／子どもとする哲学（P４C／子どもの哲学）」は、20世紀後半に、アメリカのマシュー・リップマンという哲学者によってはじめられました。いわゆる「批判的思考」教育の実践や重要性が提唱されはじめた時期とも重なります。リップマン自身、大学に入学してくる学生に「思考力の欠如」を痛感していたことから、この手法が考案されたといわれています。

こうした背景もあってか、彼の著作からは、「論理的な思考」や「批判的な思考」に重きがおかれていることがわかります。また、教育実践として生まれたため、教師（進行役）が哲学探究を促すための重要な役割をはたすことが求められています。

リップマンは、当時の学校教育が、子どもの経験やその意味世界に結びつけられていないことを痛烈に批判しています。だからこそ、彼は哲学的な思考に教育の本質を見出したのでした。

そこでは彼が考案した教材である小説を読み、問いを出し、対話することによって考えていくというカリキュラムが組まれました。リップマンは教室を、ただ教師の講義を聞く形から、「探究するコミュニティ」へと変えようとしたのです。これこそが、「子どもとする哲学」の中心的な理念となっていきました。

リップマンの実践や理論は、現在では様々な形で応用され、各国の風土や教育事情に合わせた形で、広く実践されるようになっています。

これら3つの哲学プラクティスは、このように背景や方法がそれぞれ異なります。しかし、いずれも哲学思考を「対話」によって進める点では、共通しているといえるでしょう。こうしたものを参考にして、近年日本でも「哲学対話」のムーブメントが広がりはじめているのです。

哲学対話の場

日本で広がる哲学対話には様々なスタイルがありますが、どれも「普段はあまり話せないことを、自由に、じっくりと哲学的に考える対話」であるといえます。

どんな形で行うにせよ、こうした理念が最初に言葉にされていること、空間設計が配慮されていること、この2つが何より大切になります。

ここからは、私が哲学対話をはじめる際に必ず伝えることをご説明します。

○円になること

まず、「文字通りの」空間設計の話からです。

第一に、**できるだけ真円形の輪になるように座ります。**円状になると、「特等席」

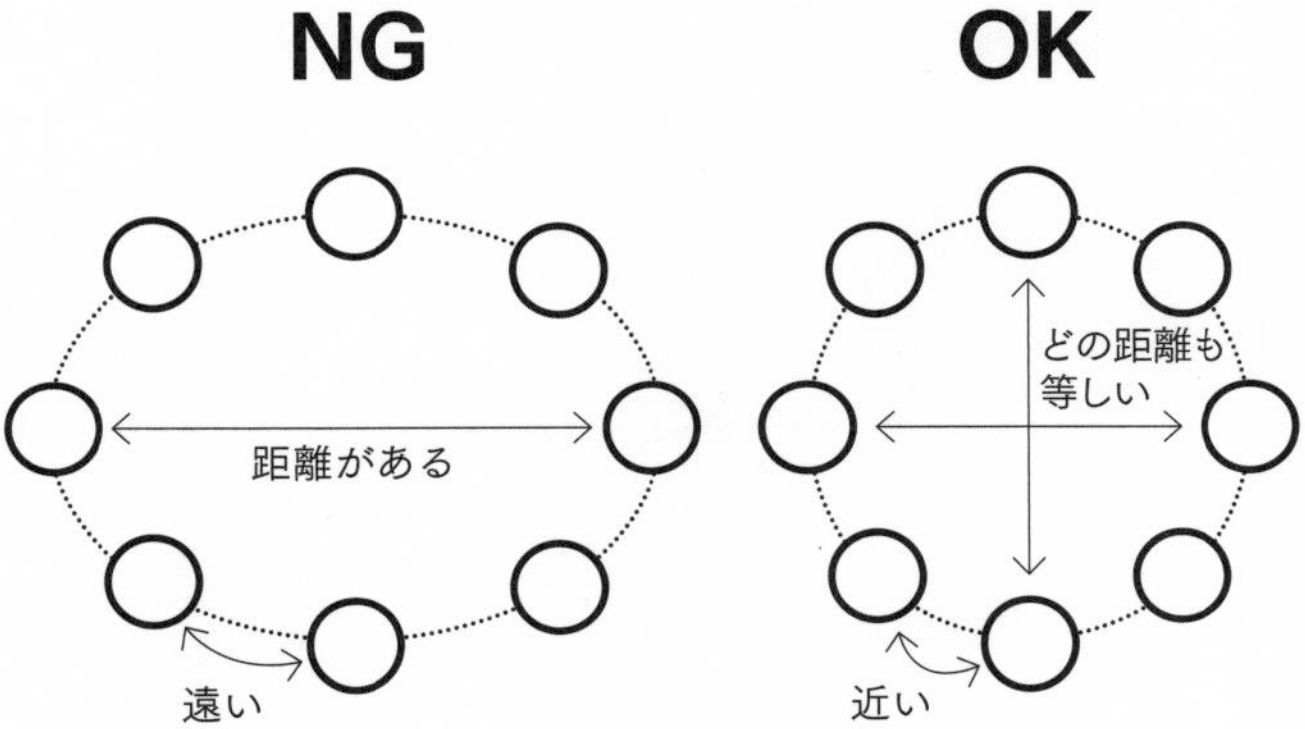

が生まれません。**参加者全員が対等であるということを視覚的、空間的にわかりやすくするために、できるだけ歪みのない円にすることが大切です。**

それは、少しでも排除されている、参加しにくいと感じる人を減らすことが目的です。見学者や観察者のような心理状態を作らないという意図もあります。

人と人の間が離れすぎないようにも注意します。距離が離れていると、単純に声が通りにくかったり、話しづらくなります。

しかしそれ以上に、隙間があるほど、そこから場の「空気」や「力」が漏れ出てしまうように思います。間隔が広いほど、一つの「コミュニティ」としての意識が薄まっていきます。形式的に「参加」はしていても、積極的に「参画」している意識が薄れてしまうのです。

イスはあってもなくても構いませんが、机はないのが理想です。机も、人と人との距離を無意識に遠くします。机があると、どうしても対角線上の人との分断や心理的距離を感じます。すると、心がやや閉じたような感覚や、対立しているような気持ちになる可能性があるかもしれません。

○自由であること

ここからは、精神的な「空間設計」の話です。

哲学思考と同じく、ここでも「自由」が何より重要なキーワードになります。

普段私たちは、様々な「目的」に縛られて生きています。仕事で結果を出す、テストで点数をとる、資格試験、大学入試、就職活動など。そこには、ある程度の「セオリー」や「正攻法」があり、効率よく達成するための手続きがあります。それ以外の直接役に立たないことは、後回しにされがちです。

その結果、誰もが「幸福とは何か」、「成功とは何か」といった問いが大切であることをわかっていながら、きちんと向き合えなくなっています。

多忙な日常の中で、「そもそも生きるとはどういうことか」などと悠長なことを考えてはいられない——仕事や学校での短期的な目的達成には必要がないからです。

問題はさらに複雑です。どんな関係の人とであれ、そもそもこうした話題についで話すこと自体、恥ずかしいものです。真面目な話をすることに対して「冷笑的なまなざし」を向けられることもしばしばです。

こうした話題が、政治的対立を引き起こすこともあります。他人の思考の核心に触れることになれば、「死刑制度に反対」、「福祉国家的政策に賛成」などといった個人の価値観があらわになるからです。価値観の不一致が明らかになると、人間関係に支障をきたす場合もあります。

しばしば私たちは、深刻な対立を招いたり、イメージを損ねたりするのを避けるため、あたりさわりのない会話や表面的なおしゃべりにとどまろうとします。そうすると、自由で闊達な思考は当然、抑圧されていきます。こうした「処世術」は、ときには必要にもなるでしょう。しかし、**「哲学する」とき、私たちは「本当のこと」を追究し、対話したいのです。**

○リアルさを追究する

「本当のこと」という表現には、2つの意味を込めています。

第一の意味は、「リアルであること」です。「現実的」という意味ではなく、**私たちの人生にとって「切実」で、「重み」があるということです。それについて考えたいと強く思う気持ちが心の底から湧いてくるようなことが「本当のこと」です。**

第二の意味は、「真実であること」です。つまり、ウソや偽りがなく、事実や経験に基づいたものであることです。

「本当のこと」は、私たち自身が絶え間ない思考と対話によって「紡いでいく」ものです。どこかにある、唯一で絶対の「真理」を明らかにするのではありません。むしろ、それを私たち自身の力でつくりあげていきたいのです。つまり「本当のこと」は、何となく待っていれば与えられたり、私たちと無関係のところに存在するものではありません。

他方でこれは、「どんなことでも、私たちがそう考えれば、すべて本当のことだといえる」という意味では決してありません。「私たちがリアルに感じているのだから、他の人にとっても切実で重い問題でなくてはいけない」とか、「私たちがそう考えたのだから真実だ」とはいえないのです。

どんな考えであろうとも、すべて、あくまで暫定です。その「本当らしさ」は、常に新たな観点や批判に開かれていなければなりません。議論された考えが、さらにまた様々な人や未来の自分を通して批判され、再構築されていくことで、「本当のこと」それ自体も更新されていくからです。

○安心して発言できる場を保つ

自由や本当のことへの情熱が大切とはいえ、「どんなことでも口にしていい」というわけではありません。誰もが過不足なく自由を実感し行使するためには、「安全」も大切だからです。

ここでいう安全とは、発言によってばかにされたり、非難されたりしない安全性です。哲学対話では、「人を非難・中傷するようなことだけはいわない」というルールを掲げることもあります。

なぜなら、「こんなことをいって笑われないだろうか」、「間違ったことをいって怒られないだろうか」と思うようなことがあれば、「本当のこと」は追究できないからです。

ただし、人の意見に「反対」、「反論」することは、「侮辱」や「中傷」とは異なります。これを区別するのは、実際にはかなり難しいことです。意見の誤りを指摘されて「攻撃された」と感じた経験が、誰にでもあるのではないでしょうか。

侮辱や差別的な発言は論外ですが、反論を一切許さないのであれば、「本当のこと」を考えることなどできません。

「私は少し違ったように感じています。なぜならこうだと考えるからです」と理由をつけて説明する。「わかるような気もしますが本当でしょうか。たとえばこういう場合もありえませんか」と反例や参加者全員への一般的な問いとして提示する。

こういった方法ならば、むしろ歓迎されるべきです。

これはほとんど、「言い方」の問題だともいえます。「反論」と「中傷」の区別は難しいものの、反論を禁じるべきでありません。**反論は「主張」というよりは、結局のところ、その意見の妥当性への「問い」だからです。**

対話を深めるためには、こうした問いが欠かせません。ですから、実際の区別は難しいにせよ、区別の重要性を事前に確認しておくことがまずは大切なのです。

○価値観をそろえる場ではない

哲学対話は、「本当のことへの愛」と「対話のルール」を共有する以外には、あくまで一人ひとりの個人が参加する場です。それは**「問いの共有」**のみによってなりたつコミュニティだといえるでしょう。

そこでは、「一致団結する」「特定の価値観を共有する」ことは目的になりません。

ある日、「理性と感情の関係はどうなっているのか」という対話になったことがありました。参加したメンバーは、何度か一緒に対話をしてきた顔見知り同士です。参加者の一人が「理性を失った経験」を具体的に話してくれましたが、内容はかなり衝撃的で、暴力的なものでした。

顔見知りとはいえ、進行役としては場がどうなるかを心配しました。その衝撃から誰も発言できなくなるのではないか、あるいは「それはよくない」とか「気にすることない」といった反応に終始するのではないかと危惧したからです。

しかし、次に発言した方から出た言葉は、意外なものでした。「それって、本当に理性を失っていることになるのでしょうか。人が完全に理性を失うことって本当にありえると思いますか」

これを聞いて私は、「このコミュニティは成熟している」と感じました。元の発言者も、それを受けてしみじみと考えこみ、その問いがきっかけで、「人間とは何か」という議論に深まっていきました。

哲学対話では、参加者の「絆」や「価値観の共有」が重要なのではありません。「問いの共有」によって個々人が考え、他者から何かを受け取り、変容する。つまりそこには、個々人の成長があるだけともいえるのです。

他方で、哲学対話で生まれるコミュニティそれ自体にもとても大きな意義があります。

特定の文化や前提、趣味や好みを共有していなくても、考え、対話することができるようになるコミュニティ。そのことが大切なのです。

○「プロセス」に参加すること

こうしたコミュニティは、あまりないかもしれません。実質的な価値を共有することによってできるコミュニティは、「国」から「趣味のサークル」まで様々なものがあるでしょう。しかし、私たちがそこでの意思決定や対話に参加することは、それほど多くありません。

普通、社会のほとんどの物事は、自分と関係のないところで決められ進みます。

そういったものには、関心をもてないものです。政治や経済なども、自分自身に直接かかわっていることが実感できないと、なかなか興味をもてません。

本当に何かにコミットして関心をもつためには、「自分に関連している」、「自分がその部分である」、「自分がそこに参加している」という感覚が必要になります。

哲学対話では、そういった感覚を感じやすいといえるでしょう。少人数で円になることや、自分たちの考えたいことを問いにすること、そして多様な考え方や様々な参加の仕方が認められているからです。

対話の結果は、あくまで二次的です。もし最初と同じ結論にたどりついたとしても、以前とは異なる思考のプロセスをたどったとすれば、新しい気づきやわかりがあるはずです。

実際、同じ問いを何度考えたとしても、思考プロセスはその都度変わります。どれだけ小さくても、毎回新たなアイデアが生まれます。囲碁や将棋で、同じ相手と何度対局したとしても、まったく同じ経過や展開を辿ることがないのと同じことです。

哲学対話で、同じ問いを同じメンバーで複数回考えても、まったく同じ結論や思考プロセスになることはまずありません。**どのような参加の仕方であれ、自分がコミュニティの一部として、「問いの共有」と「変化のプロセス」への参加を感じられる――それこそが、哲学対話の醍醐味です。**

○ 哲学対話が「対話」であることの意味

哲学対話は「ディベート」ではありません。

ディベートは、主張の「もっともらしさ」を競います。この「らしさ」というところがポイントです。ディベートは、「本当のこと」ではなく「本当らしさ」によって、相手をやりこめることや勝ち負けを基準としているからです。

しかし**哲学対話にとって、勝ち負けや、誰の発言が有益だったかといったことは、どうでもよいことです。**ただ「本当のことを知りたい」以外に、目的はありません。そのためであれば「全員がただそこにいればいい」つまり、「自分なりの仕方で参加すればいい」のです。

とはいえ、「対話」という語は、非常に曖昧なニュアンスを含んでいます。「異宗教間対話」とか、「米朝対話」など、公の場で使われることもしばしばで、実はややつかみどころがありません。少しだけこの「対話」という語に注目してみましょう。

まず「対話」は「会話」とは異なります。この区別をもとに、伝えたいことが2つあります。

まず一つ目。会話とは、多くの場合、単に「情報の伝達」が目的であり、いわゆる「おしゃべり」のことです。しかし哲学対話は、単なるおしゃべりとは違います。リップマンは、「会話（conversation）」と「対話（dialogue）」を比較して、**「会話はそれ自体安定を伴うのに対して、対話は不安定を伴う」**といいました。「会話は、それ自体前に進んでいくことはない」。しかし「対話では、前進運動を強いるために不安定な状態が「意識的に」保たれている」のです。「対話では、それぞれの議論は反論を引き起こします。反論はもとの議論をこえ、それによって、もとの議論も反論もこえるところまで引き上げられる」のです。

つまり、対話は会話とは異なり、前進や解決へと向かう「方向性」を伴っているといえます。会話は、必ずしも解決すべき課題や目的を念頭においているわけではないからです。

また重要なのは、**問題が意識的に「宙づり」にされている**ということです。だからこそ、安易にわかったつもりになるよりも、**わからなくなるという意識が、ある種の対話の意識であるべきなのです。**わからないときには、わからないとはっきりといっていい。むしろそのことこそが、対話を進展させます。

二つ目の意味は、**対話は「意見交換」や「意見の羅列」ではない**ということです。「対話」は、英語で「ダイアログ(dialogue)」です。接頭辞の「ディア(dia)」は、「2つの」を意味します(漢字の「対」も同じですね)。それは「モノローグ(monologue)」、つまり「一人(mono)語り(独話)」ではないということです。必ず相手がいて、そこで言葉による「交わり」が生じることなのです。

会議や会話でも、一見みんなが集まって話しているように見えて、実は一人ひとりがただ一方的に話しているということがあります。このように意見の羅列だけで終わるなら、そこに何人いようと「モノローグ」にすぎません。

その意味で、**「互いの理解が深まった」、「共有された違和感が言葉になった」というような、「わかりの経験」があることは、対話のしるしでもあります。**

あるいは、**「わかっていると思っていたものがわからなくなった」、「なんだかモヤモヤした」といった経験も、「交わり」のあったしるしだといえるでしょう。**

哲学対話の心構え

最後に、哲学対話をする際の心構え・ルールについてお話ししたいと思います。

○話すより、聞くこと——聞くよりも聴くこと

「人の話をよく聞きましょう」とは、何と陳腐なフレーズでしょう。この言葉自体、「聞く」ことを拒否したくなるほどです。にもかかわらず、私自身も進行役をするときには、この言葉を何度も強調します。

私たちは正確に人の話を聞いていません。哲学対話をしていても、人の話を最後まで聞かずに遮ろうとしたり、他人の主張を都合のいいように曲げて理解する人がいます。話を聞いているつもりの進行役でさえも、話し手の意図や主張を読み違え

るということが頻繁に起こります。

私たちの社会には、無意味な言葉や扇動、管理の言葉が氾濫しています。思いやりをもとう、マナーを守ろう、先生の話を聞こう、環境を大切にしよう、などなど。こうした言葉がスローガンのように繰り返されるとき、そこには重みがなく、もはや単なる「音」のように聞こえてしまうほどです。こうした言葉のあふれた環境では、自分を鈍感にし、無意識のうちに「聞かないようにする」ということが起こります。

それは無理もないことです。耳に入るすべての言葉を真に受け、受け止めようとするのは大変すぎるからです。しかしそれ以前に、そうせざるをえないほど、「言葉」そのものが軽く使われていることに問題があります。

国会答弁、テレビコマーシャル、客引き、偉い人の演説、今月の目標、学校や会社の朝礼。退屈で形式的な、重みのない言葉を聞いていれば、言葉そのものを軽んじ、聞き流すようになる——もはやこれは、一種の「自己防衛」です。こうした言葉には、リアリティもなければロジックもないために、単なるお説教としか感じられないでしょう。

哲学対話は、その意味でとてもチャレンジングです。こうした態度から抜け出て、**「注意深い傾聴」、つまり「聞く」のではなく「聴く」ことに意識的である**必要があるからです。

「聴く」とは、高度に洗練された行為にほかなりません。聴いてもらえるからこそ、安心して話すことができる。**話し手が多少まとめられなくても、聞き手が何とか理解しようとする。この意味で、聴くことは話すことよりも難しいのです。**しかし、こうした傾聴の相互作用こそが、何よりもまず哲学対話を可能にします。

哲学対話では「会話」以上のコミュニケーションが起こるといいました。そのためには言葉尻だけを捉えた「触発」によって対話を進めないように注意する必要もあるでしょう。

日常会話では、「触発されて話す」ことが頻繁にあります。

たとえば、「昨日テニスをした」という発話に対して、「テニスといえばあのテニス選手が〜」と話題がうつるのは、ごく普通のことです。

しかし**哲学対話では、一つの概念や論点に焦点をあて続けます。**論点がうつったり、戻ってきたりすることも必要なのですが、その「動き」には自覚的であり続けることが大切です。

一つの単語や言葉尻だけを捉えて話しはじめれば、「対話」は「会話」に近くなり、論点が拡散し、うやむやになってしまうこともしばしばです。

ですから、誰かが話しはじめたときには、話を遮らず、話し終わるまで待つことが大切です。つい発言したくなってしまう——そういうときこそ自制して、まずは「傾聴」を心がけましょう。

○答えるより応える——そして問いかける

ここまで、「聴く」ことが大切だとお伝えしましたが、もう一歩進めて、「問う」ことに注目してみます。

「問いかけること」は「聴くこと」を前提にしています。相手の主張に耳を傾けていなければ、問いは生まれないからです。逆にいえば、しっかりと聴いて、相手や問題に関心をもてたなら、問いは自然と生まれてきます。

とはいえ質問は、しばしば「自己防衛」としても利用されます。自分が注目されたくないとき、問いかけることによって、相手の方に注意を向けられるからです。あるいは、質問は単に「否定」として捉えられることがあります。「本当にそうですか」という問いかけは、「そうではない」という意味であることも多いのです。しかし、哲学対話での問いかけは、「自己防衛」や「否定」に利用されるべきではありません。


問いあうことが難しい場合は、他人の発言に「応答する」意識も重要です。「問いかけ合うこと」は、哲学対話の核心ですが、それが難しいときもあります。見ず知らずの人に質問するのは何となく憚られるとか、質問がなかなか浮かばないような場合です。

この際、「応答する」という行為にシフトしてみましょう。「同じ理由で私もそう思います」とか、「たとえばこういうことですよね」といったものです。ときには、「うなずき」や「相槌」のような仕草も十分な応答として効果を発揮します。**応答**

は問いかけとは異なるものの、やはり「傾聴」の証であり、それを示す行為の一つだからです。

このように、「(反射的に) 答える」のではなく、「応える (応じる)」こと、「聞く」よりも「聴く」こと、そして「問いかける」といった、主体的な行為が哲学対話を形作ります。

○自分の経験から、自分の言葉で考える

哲学者の言葉や他人の経験、統計やアンケートが役立つこともありますが、哲学対話では、**自分の経験から、自分の言葉で語りましょう。**その場に居合わせている参加者自身の経験から考えたり、検証できないようなことを話しあっても、哲学対話としてはあまり建設的とはいえないからです。

まずは自分自身で、ときには「孤独の中で考えること」が重要であることはすでに書きました。

他人の意見や言葉を鵜呑みにしてしまえば、自分で考えたことにはなりません。しかし、他人の言葉を聞いて自分なりに考えたうえで、自分の意見として取り込むのであれば、話は違ってきます。それはもはや、「その場の全員で考えたこと」であり、哲学対話の成果に他なりません。

どうしても引き合いに出したい知識や哲学者の思想があるのであれば、必ず全員にわかるように説明すべきです。説明できないのであれば、そもそもわかっていないという可能性もあります。

わかる人だけがわかる言葉や知識を使えば、そうでない人を疎外してしまうことにもなります。誰かを疎外することは、哲学対話の理念に反します。どんな人の意見も有用でありうるからです。

○合意や結論にたどりつかなくてもいい

哲学対話において、合意や結論は、必ずしも必要ではありません。

究極的にはそこにたどりつくかもしれないという姿勢で探究を進めることは有意

義です。しかし、合意や結論に達することだけが、哲学対話の目的ではありません。繰り返しになりますが、哲学対話はディベートではありません。哲学対話の問いになるような根本的な問いは、どれも古今東西の哲学者たちが何千年にもわたって考えてきた問いと原理的には重なることがほとんどです。小一時間で結論や合意に至れないのはいわば当然のことです。

他方で、合意できるところがあるとすればどこか、合意できないのであれば、どこが問題なのかを確認することにも大きな意味があります。「仮に結論があるとしたら」と仮定することで、議論を進めることもできるでしょう。

大切なのは、合意や結論にたどりつくこと自体ではなく、その「プロセス」です。

○モヤモヤ感はあえてもち帰る

哲学対話は、予定していた時間が来たら終わりにしましょう。まだ余力が残っていたり、もっと話したいという向きがあってもです。**「なんとなくわかった」という感覚でスッキリした気になるよりも、「わからなかった」という感覚のモヤモヤ**

をもって帰ってもらいたいのです。

わかった気になって終わるより、「もっと考えたい」、「ここがわからなかった」という経験の方が強く残り、私たちを突き動かす原動力になるからです。

このモヤモヤは、ときに、心の奥底にしこりのように残り続けます。これこそが、哲学対話の醍醐味だといっていいでしょう。

このしこりは、決して不快なものではありません。それを抱え続けることは、世界に対する関心や興味、さらなる思考への糸口、モチベーションになります。**このしこりこそが、人生の問いや違和感の正体であり、推進力なのです。**

哲学対話の帰り道、帰宅後のお風呂の中で、あるいは数日後、数か月後、数年後に、ある日ふと、その問いが「覚醒する」こともあります。しかし、安易にわかった気になってしまえば、未知の冒険に出る機会は簡単に失われてしまうでしょう。

○ 無理に発言しなくてもいい

哲学対話では、**「人を非難したり侮辱しない」**という条件のもと、どんなことで

も自由に発言していいのが原則です。普段は人間関係を気にして話せないこと、嫌われるかもしれないと思っていえないことが無数にあります。しかし何よりもまず、どんなことでも自由に話せるのでなければ、哲学対話は成立しません。

ここでは、社会や学校で一般に「よい」と思われている価値観や言説を代弁する必要も、見栄をはる必要も一切ありません。むしろ、あえてそういうものに疑ってかかる、食ってかかるのが哲学対話・哲学思考の本質です。

反対に、**無理に発言する必要もありません。「聴いているだけ」でもいいのです。**発言することよりも「よく考えてもらう」ことが重要だからです。考えることが目的なのだから、発言することはあくまで二次的です。発言しない＝考えていない、というわけではないからです。

ときには進行役が発言を促してくれることがあるかもしれません。それでもやはり、無理に話す必要はありません。その場を取り繕うためだけに、「リアルでないこと」を発言するのは、致命的なデメリットになります。

会議や授業では、多くの発言があること、参加者がアクティブであることがよいとされがちです。

しかし、哲学対話ではそうではありません。「準備ができていない」、「考えている途中だ」、「まだ話題にピンと来ていない」と感じれば、たとえその場の全員が黙っていても一向に構わないのです。むしろ沈黙は、「皆が必死になって考えている」証拠かもしれません。

本当に発言しにくかったり、考えが煮詰まって沈黙している。そんなとき進行役は、本当に考えているときの沈黙なのか、そうでない沈黙なのかを見分ける必要があります。これはとても難しい判断ですが、後者の場合だと思うときには、別の観点から考えてみるよう提案してみましょう。

逆に、**もし熟慮のために全員が沈黙しているのであれば、準備ができるまで待てばよいだけです。**急いで対話を進める必要は一切ありません。

私自身、哲学対話の進行役を務めている中でも、2、3分の沈黙は日常茶飯事です。5分以上待った経験もあります。その際には、「沈黙はむしろ大切であること」、

「気まずいと感じる必要は一切ないこと」を伝え、「安心して沈黙」してもらいます。するとと、驚くほど考えや議論が整理されたり、斬新なアイデアを思いつくということがよく起こります。

沈黙は、しばし自分の内面と向き合うことや、これまでの論点をゆっくり検討するのに役立ちます。ときには議論が白熱し、対話のスピードについていけなくなる参加者もいます。こうした際には、むしろ進行役が少し考える時間を設け、あえて「沈黙する時間をとる」ことも有効な手段になるはずです。

このように、哲学対話において沈黙は、むしろその重要な部分になっています。

○コミュニティ・ボール

それでもなお、参加者がなかなか話しづらいと感じる、生徒がなかなか話しはじめないということも少なくありません。私たちは通常、「自分の考えを他人の前で話す」ということに対して、根本的に抵抗感があります。それに慣れていないために、哲学対話の場がうまく機能しないのは当然のことです。

この場合、「コミュニティ・ボール」を使用してみることは、一つの有効な方策になりえます。これは、ハワイで発展した「子どもとする哲学」の中で使われている道具の一つで、毛糸でできたやわらかいボールです。投げやすく、受けとりやすいものがあればそれを代用しても構いません。

基本的な考え方は、次の通りです。

まず**原則として、「コミュニティ・ボール」をもっている人だけが話します。**これは、進行役も例外ではありませんが、哲学対話をはじめた初期の段階では、進行役はボールなしで多少の介入をしてもよいとされています。

ボールをもっている人が話し終えたら、もし挙手があれば、その人にボールを回します。挙手がない場合には、誰でも他の人にボールを渡す権利があります。

当然、「無理に発言しなくていい」が大原則なので、発言する意思がないのにボールを渡された人は、パスすることができます。その際には、また誰でも別の人にボールを渡すことになります。

このボールの利点は3つあります。

①「いま話している人」がはっきりする

「いまはこの人が話す番だ」と視覚的にわかることで、複数の人が同時に話しはじめるのを防いだり、一人の人が長く話しすぎることを抑制する効果があります。

何より、誰かが話しているのを遮らせない、最後まで話せるようにする、という効果は、想像以上に対話をよいものにします。

②偶然ボールが回ってきたのをきっかけに話すことができる

自分から挙手して話しはじめるのが苦手な集団の中では、この小さな毛糸のボールがもつ機能は、決して小さくありません。

自分から手を挙げて発言する勇気はなくても、「ボールが回ってきた」ということを口実にして話しはじめることができるのです。この効果は、子どもに限らず、むしろ大人に対してこそ発揮されます。

さらに、いつでもそのボールを「放棄する自由」があることで、「じゃあちょっとだけ話してみようかな」という不思議な気持ちになるものです。

❸ 安心感を得られる

人前で話をするとき、どうしても「手持ち無沙汰になる」「目線を人に向けて話すことが難しい」「人から見られるのが恥ずかしい」と感じることもあります。そんなとき、ボールに自分の視線を落とすだけでなく、他者の目線もそこに集めることができるため、安心して話すことができます。また、やわらかいボールを触りながら話すことによる心理的な安心も、不思議と感じられます。

状況をみて、進行役の判断でこうした道具を使うことを検討してみましょう。

進行役とその役割

哲学対話には、進行役がおかれます。「ファシリテーター」と呼ばれることもあります。

「ファシリテーション」とは一般に、授業や講演、会議などで、一方的に知識を教え込むのではなく、参加者の理解や合意を促進したり、作業や協力を活発にし、サポートするといった意味合いがあります。

哲学対話には、こうした役まわりが不可欠です。参加者だけだと、議論が煮詰まったり、方向性が曖昧になり、単なる会話やおしゃべりに陥ってしまうことがあるからです。

進行役は哲学の知識を教えるのではなく、また積極的に意見をいったり、対話の内容に干渉するのでもありません。対話が建設的なものになっているかどうかを確認し、議論を活発にする「補助役」としてふるまうのです。

進行役の役割の多くは、哲学思考をすすめるプロセスとも重なりますが、哲学対話にひきつけると、次のようになります。

○役割①　哲学対話のルールや心構えについて説明する

進行役はまず、前述したような哲学対話の概要と心構えを説明します。そして、こうしたマインドセットが参加者に共有されているかどうか慎重に注意します。参加者が哲学対話の意味とルールをしっかり理解しているかどうかが対話の成功を決めるポイントといっても過言ではありません。

もしそれが充分に理解されていない、ルールが守られていない場合には、適宜参加者に注意を促す必要があります。これが哲学対話の最も重要な「空間設計」です。

○役割② 議論を整理する

進行役は、これまでに出された論点や意見をさらい、適宜、議論の道筋を明らかにするとよいでしょう。ここで「議論」とは「意見をたたかわせる」という意味ではありません。「話の道筋」という意味です。

ここまで何が問題にされてきたか、いま何が話されているのかを整理してみましょう。こうすることで議論の全体が意識され、発言同士の関連性、次に考えるべき論点を捉えやすくなります。

すでに出た発言の中で、まだ十分に焦点を当てきれていないものがあれば、それについて考えてみるように提案するのもいいでしょう。あるいは、対話を促進するために必要だと思った論点を、自ら提案してみるのもいいかもしれません。

○役割③ 発言を関連付ける

互いに矛盾する考えや主張があれば、「その点についてどう考えればよいか」と問うのもいいでしょう。また、似たような意見が出されたときには、それが同じであるかどうか、違うとすればどこが違うのかを問いかけるようにします。

これは、参加者の発言が単なる「羅列」に終始してしまうのを避けるためです。意見を相互に「関連付ける」とは、「比較すること」であり、意見の「位置」を明らかにすることです。意味とは本来、比較することで導き出されます。もし意図や内容のわかりにくい発言があれば、これまでの発言とどのような関係があるか尋ねてみるのもいいでしょう。

○役割④　問いかける

主張や論拠、言葉の使い方などによくわからない発言があれば、その意味を説明してもらったり、具体例を出してもらうように問いかけます。

また、議論の中で特定の主張に意見が偏ってしまったときには、あえて正反対の主張を出し、それについて考えてみるよう促すこともあります。議論が煮詰まってしまい活発さを失ったとき、対話を展開させることも進行役の務めです。

意見が出尽くしたように思われたときには、他人の意見を聞いて「自分の主張が変わったかどうか」「変わらなかったとすれば、なぜ変わらないのか」を問うのもいいでしょう。

○役割⑤　議論の方向性を維持する

これは議論の内容それ自体に「干渉」したり、特定の方向性に「誘導」するということではありません。そうではなく、対話が単なる推測に終始していたり、問いと無関係な会話に陥ってしまったとき、「議論の方向を元に戻す」ということです。

いま話していることが、問いとどう関係するのか、なぜその話題を検討することになったのかを、常に自覚するよう促してみましょう。十分に一つの論点を吟味したのであれば、「それでは、改めてはじめの問いに戻ってみましょう」「次の論点にうつってみましょう」と提案するのも有効です。

○役割⑥　タイムキープとクロージング

制限時間を設定し、時間になればキリのいいところで終わりにする。これも進行役の重要な役割です。個人的には、一時間から長くて二時間程度が適切な時間設定だと感じます。

対話の最後の数十分で、「メタ・ダイアローグ」を行うのもよいかもしれません。メタ・ダイアローグとは、「対話についての対話」です。感想や対話の進め方について、あるいは、もっと考えたかった点やモヤモヤしている点などを共有してもらいましょう。

この時間を取ると、参加者にとってはよいリフレクションの機会となります。また進行役にとっては今後の進行や対話の参考になります。そしてあまり発言できなかった人に発言の機会を設ける機能もあります。そうすると対話への参加度を無理なく高めることができるでしょう。

こうしたリフレクションを通して、内容だけでなく、対話の「手続き」にも注意を向けられます。哲学対話では、言葉や概念だけでなく、思考や対話の深め方自体にも「反省的」であることが求められます。

メタ・ダイアローグの場では、進行役自身も、対話の進め方についての感想を述べてみると、参加者にとっても大変有益です。なぜなら進行役は、対話の手続き面に最も自覚的であるはずだからです。

さて、ここまで説明してきてもなお、逆説的なことをいわなければなりません。**最も望ましい対話の形は、進行役がいなくても自然と進み深まっていくような対話、参加者同士が進行役の役割を内在化しているような対話である**、ということです。

進行役はあくまで補助的な役割です。いなくてもすむなら、それにこしたことはありません。進行役がもはや参加者の一人になれるということは、参加者一人ひとりがその手続きに自覚的であるということだからです。それは、哲学思考を進める態度と他者への敬意を備えた、成熟した哲学対話だといえるでしょう。

5章まとめ

○ 哲学対話とは、他者と哲学思考を進めていくこと。

○ まずは歪みのない円をつくる。

○ 非難や中傷はダメだが、反論は歓迎する。最終的に価値観はそろわなくていい。

○ 対話が深まるプロセスに参加すること自体が大切。

○ 心構えを共有しておく。
- 話すより聴くこと
- 答えるより問いかける
- 自分の経験から自分の言葉で話す
- 結論が出なくてもいい
- モヤモヤ感はもち帰る
- 無理に発言しなくてもいい

第6章

世界は哲学を「使っている」

哲学プラクティス
―社会に応用される哲学思考

あるころから私は、哲学をより一般的・実践的にしていくムーブメント、「哲学プラクティス」にかかわりはじめました。

哲学プラクティスには、哲学カウンセリング、哲学コンサルティング、哲学コーチング、哲学カフェ、哲学ウォーク、子どもとする哲学（子どもの哲学／Ｐ４Ｃ）、ソクラティク・ダイアログ（ＳＤ）などなど、実に多様な実践があります。

いずれも、哲学を日常的な営みとして、教育やビジネス、医療やスポーツの場で実践するものです。そのすべてが、本書で紹介してきた「哲学思考」を応用しています。欧米では、博士号保持者や、学会公認の「哲学プラクティショナー」と呼ばれる人たちが数多く活躍しています。世界的に見れば、様々な現場で「哲学を使う」ことの大切さは、すでに認められてきているといえるでしょう。

哲学教育

5章で紹介した哲学対話は、広くいえば、「考える市民」のための教育であり、哲学に触れる「社会教育」の場でもあります。また、悩みや心の傷を抱える人たちが自分を見つめ直し、その存在を回復する「ケア」や「レジリエンス」の現場ともいえるでしょう。

教育という文脈で哲学的な態度や思考が求められるようになったのは、実はごく最近のことです。きっかけの一つは、時代の変化と共に、従来の知識詰め込み型教育が批判され、「アクティブ・ラーニング」型教育への転換が叫ばれだしたことです。

学習指導要領も、子どもの「主体性」や「考える力」を重視し、「対話的で深い学び」を求める形に改定されました。

○アメリカでの哲学対話──学校内の哲学者

アメリカでは、こうした潮流を予想していたかのように、「子どものための／子どもとする哲学（Philosophy for/with Children）」が、１９７０年代にさかんになりはじめました。

哲学的な思考力を育てる教育として、一時はアメリカ全土でこのプログラムが取り入れられました。現在では、欧米諸国はもちろんのこと、東アジアやオセアニア、中東、南米、アフリカの一部地域でも行われるほど世界的な広がりをみせています。

私自身、こうした活動に国内外でかかわり、実践と研究を続けてきました。

たとえば、私が研究滞在していたハワイ州には、「フィロソファー・イン・レジデンス」、いわば**「校内哲学者」**を擁する学校が存在します。心理カウンセラーや、保健室の先生（養護教諭）のように、哲学思考を提供するための「哲学者」が来校しているというわけです。

彼らは、授業で哲学対話をサポートしたり、各教科で哲学思考を取り入れる役割をはたします。ときには校内哲学者として、「哲学的に」生徒の相談にのったり、教員とは異なる立場から子どもを見つめ、学校を見通すこともできるというわけです。

哲学対話によって学校全体が変容を遂げた例もあります。ハワイにカイルア高校という公立学校があります。ハワイというと「豊かな自然」「温和な雰囲気」という漠然としたイメージがあるかもしれません。

しかし、この学校は、90年代末にかけて校内暴力やドラッグといった問題が山積し、たびたび警察が出動するような、いわゆる「荒れた学校」でした。

社会的な要因も少なくありません。ハワイでも、アメリカの根本問題である、経済格差や貧困が広がっています。また、東西の中心に位置するハワイの地理的、歴史的な背景から、実に多様な出自の人々が暮らしています。その結果、家庭内暴力や貧困、人種差別、多様な民族間の不和や無理解に苦しむ生徒たちも多く、「教育困難校」が生まれるのはいわば必然でした。

そんな中、２０００年代初頭に、**社会正義や多様な文化の相互理解を進める授業が立ち上げられ、その中心に、「子どもとする哲学」が位置付けられました。**

プログラムを進める中で様々な困難があったといいますが、「相互理解」と「根源的な問い」を中心に進められる哲学対話の活動によって、徐々に学校全体が変わっていきました。

いうまでもないことですが、哲学は魔法ではありません。「学校がある日突然変わった」などというわけではないのです。何年もの歳月をかけて、じっくりと対話し、生徒の相互理解や心の問題にもアプローチしたことが功を奏し、教員が州のベスト・ティーチャーに選出されたり、ダライ・ラマが視察にくるほどの学校へと変わっていきました。

しだいに、「生徒が教師に哲学対話を教える」「生徒が他校に哲学対話を教えに行く」といった活動にまで発展していきました。今ではすっかりこの文化が根付き、最近では「哲学カフェ」の活動も始まっているほどです。

○日本での哲学対話

不思議なことに、私が講師をしている高校でも同じような現象が起きつつあります。

ある学校は、いわゆる「教育困難校」とされてきました。生徒と話してみると、不登校やいじめ、貧困、親子関係のトラブル、スクールカーストといった問題に向きあわざるをえない生徒も少なくありません。

しかし、生徒たちはときに、哲学対話の場で赤裸々にこうした自分の経験について語りはじめます。対話をはじめたばかりの一学期や、参加一年目の生徒は、学校や社会への文句・愚痴に終始することもあります。

しかし、単に困難や悩みを吐露するだけで終わらないのが哲学対話です。先輩や卒業生、進行役とともに哲学思考に巻き込まれていくことで、徐々にそれを「語るだけ」ではなくなっていきます。

理路整然と説明し、論理的に考え、表現できるようになる。そして何より「問題の所在」を捉えられるようになる。そんな変化がみられるのです。問題の直接的解決というより、まずは問題を捉え、その見方を変えることで、**自分の問いを発見できる**ようになっていきます。「自分の抱えていた違和感は、こういう問いとして設定できるのか」と気づきます。考えていくうちに、もともとの悩みや問題との付き合い方、考え方を学び取っていくという感覚です。

私自身、こうした活動を続ける中で、教育困難校とは、「大人が用意してあげた『良い教育』を実現するのが困難」という程度の意味にすぎないこと、そしてそれが、あくまで世間から見たレッテルにすぎないことがよくわかりました。哲学対話でみる彼らの姿に「困難」など一つもなく、実にいきいきとしているからです。

このように哲学対話は、彼らの抱えている問題の根っこや、人間関係の悩みにも切り込んでいくことができます。

繰り返しになりますが、哲学対話も魔法ではありませんから、問題を「すぐに」「直接的に」解決することなどできません。

しかしよく聞かれるのは、こうした場に身をおくことで、「自分らしくいられる」、それを「居場所」だと感じるという声です。哲学対話が、先にあげた様々な「スキル」の育成に貢献する一方で、重要な「場」としても機能しているのです。

もっというと「哲学対話が好きで参加する」というより、「そうすることが自然だと感じる」とか「自分の本質的な部分だと感じる」という声が、さらに興味深いのです。趣味でも習得すべきスキル（教育）でもなく、まるで呼吸をすることであるかのように、自然とそうしているという感覚です。

こうした居場所がなかったことで、「自分は変なことを考えているのではないか」と、自分を抑圧してきたという声もよく聞かれます。こうした生徒にとってみれば、哲学対話を通して得られることは無限大です。

「自分という存在がくっきりしてくる」、「自分が大切にしていることがわかってくる」、「やりたいことが見つかった」、「進路がはっきりしてきた」、「他人の考えを尊重できるようになった」、「仲間が見つかった」などなど。どれもすべて、実際に生徒から聞いた嬉しい感想です。

ハワイのカイルア高校のように、学校全体が様変わりした、とまではまだまだいえません。しかし、こうした声を耳にして、哲学対話が生徒の「生き方」の一部になっていく、という風景をしばしば垣間見るようになってきた、というところでしょうか。

哲学対話を取り入れている学校は、まだまだ多くはありませんが、全国各地に実践者がいます。授業、部活やクラブ活動、放課後の活動として、様々な仕方で行われています。近年では、「特別の教科　道徳」が必修化されたこともあり、小中学校では、道徳教育の一環として取り入れられる例が多くなっています。しかし、国語や英語はもちろん、理科や数学といった理系科目にも、十分応用可能です。

とはいえ、教育という文脈で考え、表現し、対話する力が求められること自体は、それほど想像に難くないかもしれません。教育現場では教科を問わず、「思考力」や、「言語表現」能力の必要性が説かれてきたからです。

それに、教育活動としては、漠然と「何となく重要そうだな」という印象をもっていただきやすいこともあります。しかし驚くべきことに、哲学的な思考力や知識の需要は、いまや教育業界に限られてはいません。

哲学とビジネス

近年私は、クロス・フィロソフィーズという株式会社を仲間と共に立ち上げ、「哲学思考」を用いて企業向けコンサルを行ってきました。

「哲学を用いたコンサル」というと、なかなかイメージがつきにくいかもしれません。**私たちは、哲学的な知見や思考をもとに、社内の様々な問題や人間関係と向きあったり、会社のミッション・ビジョンを創るということをしてきました。**

この「哲学コンサル」は、欧米では相当の実績がある一方で、日本ではまだまだ一般に広がってはいません。

ところが、私自身こうした実践を行っていく中で、ビジネスの最前線で働く方の多くが、「哲学を必要としている」という確信を、日々強めています。クライアントの多くが、よりよい社内研修や課題解決の方策として、「まさにこの思考を求めていた！」と語気を強めていってくださるからです。

よく耳にするのは、「哲学書や大学の講義は難しそうだけど、哲学にはずっと魅力を感じていた」というビジネスパーソンの声です。また、哲学対話をして、「社内では絶対にしないタイプの思考だったが、視点を変えたり新しいアイデアが出てきやすい」「同僚や部下、上司の価値観やモノの見方を知ることができて、人間関係や風通しがよくなった」という声もあります。

欧米では、多くの「哲学プラクティショナー」、「哲学コンサルタント」と呼ばれる哲学のプロフェッショナルが活躍しています。ビジネス企業も、哲学の力を必要とする時代に突入している、といえそうです。

〝CEO〟ならぬ、〝CPO〟という一風変わったポストをおく海外企業もあります。〝CPO〟とは〝Chief Philosophy Officer〟、つまり、「哲学主任」とでもいえるでしょうか。多忙を極める経営者や現場の社員の立場から一歩後ろに引いて全体を見渡し、適切な助言やマネジメントを行うという役回りです。

○アップル・グーグルはなぜ「企業内哲学者」を雇うのか

実際に、グーグルやアップルといった超大手IT企業は、フルタイム雇用の「企業内哲学者」を擁しています。彼らは、「イン・ハウス・フィロソファー」と呼ばれ、ビジネス企業における「専業哲学者」といっていいでしょう。はじめは私自身も大変驚いたのですが、この傾向も、ごく自然なことなのかもしれません。

なぜなら、多くの仕事がAIに取って代わられ、単に「いわれたことをやればいい」、「物を生産すればいい」という時代に、限界が見えはじめてきたからです。

生き方や価値観が多様化した現代には、ビジネスでも**「答えのない課題」に立ち向かうスキル**が欠かせなくなってきました。他社との差異化をはかり、自社のユニークな世界観を築き、独自のビジョンを表現していく必要があるからです。

そこでは、単に「モノ」や「サービス」を売るのではなく、「世界観」や「コンセプト」、「ビジョン」も売ることが鍵になります。そんなとき、哲学者の視点が役に立つことは、何となく想像いただけるかもしれません。**哲学者の能力は、「ビジ**

ネスで利益を出すことと、社会的な善を結びつけようとする」際にも応用できるのです。

通常のコンサルであれば、企業が抱える問題に「データ」をもとに「直接的」な解決策を提案するでしょう。しかし哲学コンサルタントは違います。彼らが用いるのは、「問い」、「論理」、「理由」です。それによって、**マーケットにおいて有効なものを見通すだけでなく、それが本当の意味で正当化できるかどうかまでをも見通そうとするのです。**

●アップル

たとえばアップルの場合はどうでしょうか。アップルでは、高名な政治哲学者ジョシュア・コーエンがフルタイム雇用され、大きな話題になりました。

彼が雇用されたのは、「アップル・ユニバーシティ」という自社独自の研修機関です。つまり、彼の貢献はエンジニアのように直接的な商品開発に役立つものではありません。彼のもつ政治哲学的な知見は、「直接的な売り上げ」には結びつかないでしょう。

それでもなお興味深いのは、アップルのような世界的ＩＴ企業が、民主主義理論を専門とする「政治哲学者」を雇用したという事実です。ここに、アップルの野望や理念、戦略が見え隠れしています。

彼がアップルで実際にどのような働きをしているかは、厳重に秘匿されているため、よくわかっていません。しかし、彼がアップルで雇用されていることの意味は、容易に想像ができます。

世界をリードする企業にとって、事業の核となるビジョンやマーケティング戦略を形作るには、哲学的知見や思考法が不可欠であること、そして、社員にもこうした教育を受けさせる重要性があるということです。

● グーグル

グーグルでは、デイモン・ホロヴィッツという哲学者が在籍したことも、大きな話題となりました。コーエンとは対照的に、彼は認知や言語にかんする哲学の専門家です。ＩＴ企業としてのグーグル像に、その存在を直接的に重ねやすい人物といえるでしょう。彼も「企業内哲学者」として、多様な観点を自社に取り入れる大きな役割をはたしてきました。

「もし私たちがテクノロジーというレンズを通してだけ世界を見るなら、言葉に意味を与えるような多くの重要なことを、見逃してしまうだろう」と彼は語ります。

彼は、グーグルというIT企業にいながらも、それによって世界の見方が一元化されていくことに警鐘を鳴らします。言語の豊かさや人間性を数値化したり、定量的に測ろうとすることの功罪について切り込んでいるのです。

彼の講演に参加した聴衆の一人は、「データを超えたところに哲学的な問いがある。それこそが今後、重要になっていくだろう」と語り、哲学者の視点や洞察力に大変興味を示しているようでした。

グーグルでは、ホロヴィッツのほかにも何人もの哲学研究者が活躍しているとされ、アメリカの経済紙等では、たびたび大きな話題として扱われています。

○ ビル・ミラー

アメリカの伝説的な投資家ビル・ミラーが、大学院で哲学を研究していたことも、業界ではよく知られています。彼は哲学を修めた後に、ビジネス界で大成功した人物だからです。

もともと彼は哲学専攻ではありませんでしたが、ベトナム戦争従軍時に様々な哲学書を読んだことをきっかけに、一念発起して哲学研究の道へと歩んだという、異色の経歴のもち主です。

「哲学を研究することで身につけた分析の能力や心の習慣が、まさに自分のビジネスの成功に寄与している」と彼は語っています。それを理由に、彼が母校の哲学科に約80億円にも及ぶ寄付をしたことは、ビジネス界にも衝撃を与えました。哲学がビジネスにおいても有用であることは、徐々に認知されはじめているのです。

○哲学コンサルティング

とはいえ、こうした先進的な事例は、まだまだ一部に限られています。一企業が「フルタイムで哲学者を雇用する」ことのハードルは、依然として高いのが現実です。現状では、哲学コンサルタントに外注の形で仕事を依頼するのが一般的だといえるでしょう。

哲学コンサルタントは、クライアントが新しい観点やインサイトを得られるよう、斬新で批判的な問いを投げかける専門家です。ここでも哲学思考がふんだんに使われています。

彼らは「問い」を武器にして、企業理念の構築や社員の動機付け、組織内の様々な対立の調停、ガバナンスやマネジメントといった多様な問題に切り込んでいきます。

哲学プラクティスの専門家であるニューヨーク市立大学のルー・マリノフ教授（アメリカ哲学プラクティス学会の会長であり、これまで400人以上の哲学プラクティショナーを育成）は、「哲学者がビジネスで行うことの多くは、リフレクションの空間を創り出すことである」といいます。

彼によれば、哲学は「本当のこと」を追究するので、**「現状維持」よりもむしろ「変容」に重きをおく**のです。そのため、**特定の目的達成に縛られがちな組織に、フレッシュで予想外の観点をもち込むことができる**、というわけです。

○ 哲学コンサルティングの種類

マリノフ氏によると、哲学コンサルティングには、次の種類があります。

・企業理念・経営理念の構築
・倫理規定の策定と実行
・コンプライアンスの達成
・動機づけ面接の提供
・組織内コンフリクトの解決
・研修としての哲学対話の実施
・リーダーシップ・ガバナンス技術の伝達

これをよりわかりやすくすると、大きく分けて4つに分類できます。まずは、一番わかりやすく、古典的なものから説明しましょう。

❶ 倫理規定やコンプライアンスの策定

企業には、自社事業が倫理的・法的に問題がないかチェックし、その方針を決めていく責任があります。哲学者は以前からこうした場面で活躍してきました。相談を求められれば、倫理学の専門知を土台としたアドバイスができるからです。

現代では、職種の多様化やIT技術の発達によって、多様なビジネスが生まれています。他方で、人権意識の高まりや企業の倫理的な責任も急速にアップデートされているのもまた事実です。

こうした中で、倫理的・法的な側面を確固としたものにすることは、企業にとって死活問題といえるでしょう。自由で公正な取引、政治腐敗・贈収賄の防止、児童労働や差別の撲滅、ハラスメントの撤廃、情報の適切な管理など、あげればキリがありません。

こうした倫理規定を取りまとめることの重要性は、いうまでもないでしょう。

しかし、本書で積極的に紹介したいのは、実は残りの3つです。

世界の名だたる企業は、もはや単に倫理的な責任や法令を遵守すればよいという消極的レベルで活動してはいません。「それ以上」の部分、つまり積極的な「理念」の部分で勝負しているからです。

❷ 企業のミッション・理念の構築

①のような倫理規定ではなく、企業のミッションや理念を構築し、学問的に裏付けるという仕事があります。当該企業が**「自社事業を通して何を目指しているのか」について共に考え、深めていくことによって、それを言語化・再構成する**のです。

必要な場合には、企業側も基本方針や理念の変更を迫られることがあるでしょう。その中で、哲学研究者が蓄積してきた緻密な研究成果を土台として、経営理念が根拠づけられ、学問的な裏付けを得られます。哲学の専門知と方法論を通じて、いわゆる「社長の哲学」「経営者の哲学」のようなものも、より精緻で説得力のあるものへと高めることができるのです。

哲学的な知見に晒されることによって、企業理念はより洗練された、普遍的なものへと深化します。過去の哲学者たちが紡いできた思想は、数百年、数千年のときをこえて繰り返し吟味され、評価されてきた、「いぶし銀」だからです。それは、現代に生きる私たちの生き方や理念を説明し、補強する際にも大いに活用できるでしょう。

ここで哲学者の仕事となるのは、事業の目的や鍵になる概念をクライアントから引き出すこと、そしてシャープなものにすることです。そのうえで、それを批判的かつクリエイティブに構築し、言語化していくというわけです。

③ 社員研修としての哲学対話

研修としての哲学対話は、実に多様な目的で行われます。コンセプト・メイキング、マーケティング・リサーチ、アイデア・ワーク、チーム・ビルディング、モチベーションの向上、コミュニケーションや人間関係の改善、意志決定、合意形成、批判的思考力の育成などです。哲学対話を用いたこうした研修の実施や個人コーチングは、哲学コンサルの最もポピュラーなスタイルといえます。

クライアントからは、「アジェンダが機械的に進行されるような会議では、まず行きあたらないような個人的な規範や価値観に触れられた」「同僚の意見や考えに、以前より注意を払うようになった」といった声が聞かれます。成果の多くは、組織内のコミュニケーションの改善や相互理解の促進だといえるでしょう。

また、ブレイン・ストーミングの一環として、批判的思考を身につけるための研修として行えば、哲学思考を社内で取り入れていくこともできます。

④ 哲学の専門知にかんする講演や調査

このスタイルの哲学コンサルは、当該企業の事業や理念・目的にあわせて、適切な哲学的知見を提供するというものです。

たとえば、マネジメントやリーダーシップについての哲学的な知見を提供することで、企業はガバナンスの改善を計ることができるでしょう。哲学コンサルタントが、クライアントの希望や要望を丁寧に聞きほぐしながら、必要とされる哲学の専門知や理論をまとめていくことになります。

提供方法としては、少人数でのレクチャーを行う、報告書やステートメントに仕上げる、研修の一環として講演を実施するなど、様々です。

あるいは、まず企業の事業やマーケティングに役立ちそうな哲学的知見を提供するための講演を行います。それとセットで、前述の哲学対話研修を組み合わせるという選択肢もあります。

こうすると、単にインプットを行うだけでなく、社員はそれを自らの業務や経験と照らし合わせて考える機会をもつことができます。このスタイルは、比較的オーソドックスで、ポピュラーな哲学コンサルの一つだといえるでしょう。

○個人との哲学コンサルティング

企業を対象とした哲学コンサルティングのほかに、欧米では個人的な哲学コンサルティング（哲学カウンセリングとも重なる）というトレンドの兆しもあります。たとえば、アメリカの哲学者アレックス・タガートは、クライアントに「彼らの信念について注意深く反省するよう」促す仕事をしています。

心理カウンセラーは、しばしばセラピー的なアプローチを採用します。一方で哲学コンサルタントは、**理性と論理を使って人生における様々な思い込みを探りあて、それを消し去ること、そして再構築する方法を提案するのです。**

タガートは、「哲学するという生き方」をクライアントにすすめています。

それは、「本質的に困難であり、回を重ねるごとに複雑になっていきます」。しかし、そうすることで、「自分自身と世界について、クリアに、そして辛抱強く考えるようにするのが私の責任です」と彼は語ります。

このような広い意味での哲学コンサルを行うタガートのクライアントには、自らのキャリアを変更した人はもちろん、性自認を変える人まで出ています。

クライアントの一人は、タガートの哲学的な数々の質問が、はじめは「きわめてうっとしい」と感じられた、と振り返ります。他方で、「自身につき続けてきた数多くの嘘」と向き合うことを強いられる、代えがたい経験になったとのことです。

タガートはこうした問いをもつ習慣を、「世界の問題化」と呼びます。「世界の問題化」とは、たとえば「どうすれば私はもっと成功できるのだろうか」と問うのではなく、「そもそも、なぜ成功すべきなのか」、「成功とは何なのか」と問うことです（3章で行ったことと重なります）。

哲学は、いかなる暗黙の前提も認めません。世界を問題化していくことは、自分の考えの隠れた前提や固執している部分を、引きはがしていくことになるのです。

目的ありきでそれを解決するためのハウツーではなく、より根源に近い問いを繰り返していく。すると、生活のすべてが問いであふれていることに気づきます。これは、無暗に悩みを増やしているというわけではありません。むしろ、**新しいアイデアや発想の転換点を発見するチャンス**だからです。

このように問いを根源的な部分から捉え返したあとでは、「どうすれば私はもっと成功できるのだろうか」という問いも、もはや意味が変わってきます。そもそも、その問い自体が消滅してしまうかもしれません。あるいは、成功という言葉の意味が１８０度転換していれば、その答えは思わぬところに行きつくかもしれないのです。

哲学コンサルを受けた結果、タガートのとあるクライアントは退職を決め、自身の父親としての役割を優先するとともに、新しい仕事をはじめる決断をした、といいます。

彼は、タガートとの対話を通じて「生活の中の余計なものをそぎ落とし、いま起こっていることに本当の意味で目を向けることができた」と振り返っています。哲学コンサルのこうした影響は、もはやビジネスという枠内にとどまらず、人生それ自体にかかわってくるほどの大きさをもつのです。

個人が自分の生き方を見つめ直すようになることは、組織側にとっても当然大きなメリットがあるといえるでしょう。個人のニーズを明らかにすることで組織を改善する材料にする、仕事の意義が再評価されることで人材が定着する、個人の隠れた側面や才能が明らかになることで適材適所な人材配置ができる、などなど。組織側にも、こうした哲学コンサルティングを通して個人と向き合うことで得られる成果が計り知れないほどあるのです。

哲学を「生き方」と捉えて実践する。すると自然と、こうした成果がついてくるはずです。むしろ、そうではない「コンサルティング」の在り方こそ、疑うべきなのかもしれません。

6章まとめ

○ 哲学思考は教育やビジネスの現場で使われはじめている。

○ 欧米では企業に哲学者が雇用されるケースもある。

○ 哲学コンサルティングでは主に以下4つのようなことが行われる。

① 倫理規定やコンプライアンスの策定
② 企業のミッション・理念の構築
③ 社員研修としての哲学対話
④ 哲学の専門知にかんする講演や調査

おわりに

「どうして哲学に興味をもったんですか」――これは、哲学にかかわる研究や仕事をしていると、必ずといっていいほど聞かれる質問です。そこでは、「生死の境をさまよって」とか、「素晴らしい先生に出会って」のような「人生の転機」を期待されているのかもしれません。哲学に興味があるなんて、何か事情があるに違いない、と思われることがしばしばあったからです。

そのため、「身近な人が亡くなったことがきっかけで」といったシリアスな理由から「哲学をやっているといえば、かっこいいじゃん」といったラフなものまで様々な答え方をしてきました。どれも「ウソではない」かもしれませんが、本当のところは、「ただ興味があった」というだけでした。

そんな本音をいうと、怪訝な顔をされるだろうと警戒していたところもあります。「哲学を学んでも役に立たない」、「就職できない」、「ちょっと興味があるくらいで学ぶものじゃない」と学校の教師や大人にいわれることは、日常茶飯事だったからです。

何がいいたいかというと、それでも哲学との出会いは、どんな人にもある、どんな些末なことの中にもある、ということです。様々な方が哲学との貴重な出会いを見失ってしまわないように、自分にできることがあればしたい、とずっと思ってきました。

私自身も、哲学という「言葉」に出会ったのは、中学生のころでしたが、哲学それ自体は、「ずっと私の中にあった」からです。本を読んで「哲学」という言葉を初めて知ったとき、「これは自分がずっとしてきたことだ」と驚きました。

私はたまたま興味が続いて哲学の道を歩むことができました。しかし、問いを封じる文化、哲学のネガティブなイメージの中で、哲学したい欲求を抑圧されてきた人が、たくさんいるのではないでしょうか。そもそものこと自体に気づいていないという人も、きっといるでしょう。

どうにか哲学をもっと身近に感じてもらいたい。もっと身近で続けてもらいたい。「ただ何となく興味がある」というその感覚を、とにかく大事にしてもらいたい。そう強く感じながらも、どうすることもできずに長い間悩んできました。

しかし、哲学プラクティスにかかわるようになってから、少しずつその心境に変化が生まれました。

日常で「哲学が使える」ことに確信をもち始めたこと。社会で「哲学に何となく興味がある」という人が、特にビジネスや教育の現場で相当いると知ったこと。この2つが大きなきっかけになりました。この2つを組み合わせていけば、間違いなく日本でも哲学プラクティスが広がるだろうと思っています。

実際に様々なことを試みてきました。企業や学校での哲学対話や哲学コンサルティングはもちろん、スポーツ指導者のための哲学対話、転職のための哲学対話、市民大学での哲学講座、社会正義を考えるための哲学カフェ、哲学対話合宿、学校教員向け哲学対話研修、就労支援のための哲学対話、個人との哲学カウンセリング、地方創生・コミュニティづくりのための哲学対話などなど。

哲学の良いところは、何にでも組み合わせられるところです。哲学思考の核さえ残せば、あとはどんな実践にも応用できるといえるでしょう。

また、哲学には「人や社会を変容させる力」があります。

哲学を頭の中だけで完結させずに、ぜひ「使って」みてください。

もちろん、哲学を何に使うのかは、みなさん自身が考えることです。

本書では、どちらかといえば身の回りのことや自分の人生に直接かかわることを哲学思考の例にあげてきました。

しかし、当然それはもう少し大きなスケールでも考えられるはずです。

日本社会にも、ジェンダーの不平等、ハラスメント、人種差別、ヘイトスピーチ、人権侵害、憲法違反、政治の汚職など多くの問題があります。旧態依然とした価値観には遠慮なく切り込んでいくこと、間違っていることは間違っているということ、民主的に考え決めること、こうしたことにも哲学思考や哲学対話は十分に、むしろ積極的に使っていくことができるはずです。

哲学を使うことは、個人の心の中だけでなく、個人の行動の一つ一つを変えていくこともできるのです。

この本を書くまでにお世話になった方々はあまりにも多く、お一人ずつお名前をあげることは到底できません。しかし何よりも、私を支えてくれた両親に、まずは感謝を捧げたいと思います。

私が哲学するための心の余裕・安心感と、考えるための豊かな機会をあたえてくれたこと、そして、誰よりも哲学の道に進むことを喜んで送り出してくれたこと。すべてこれに尽きるだろうと思います。どれか一つでも欠けていたら、私が今こうして哲学や哲学プラクティスにかかわっていることはなかったでしょう。今こうして、それを社会に還元できていることを、お礼に代えさせてください。

それから、本書のデザインをしてくださったｋｒｒａｎの西垂水さん、市川さん、ＤＴＰの鈴木さん、編集担当の杉山さんにも感謝いたします。

「哲学の知識」ではなく、「哲学思考」について書く企画を提案され、はじめは少し戸惑っていた部分もありました。「哲学的に考えること」それ自体が大きな哲学的問題です。多くの人に、それを伝わる形で書くという果てしない難題に、恐々としたからです。しかし、哲学思考や哲学対話に対する杉山さんの愛を感じ、その熱い思いと鋭い構成力で、とても良い本にしていただいたと思っています。何より、「編集者は哲学者なのだなあ」という印象を深めました。

最後になりましたが、ここまでお読みくださった読者の皆様に、心から感謝申し上げます。

この本が「哲学」と聞いて魅力を感じる人、そしてその魅力や、その言葉自体をまだ知らない過去の私のような人にも、広く届けられることを願っています。

2020年9月　堀越耀介

参考文献一覧

Lipman, M. (2003), Thinking in Education (second ed.). Cambridge University Press
(『探求の共同体：考えるための教室』河野哲也・土屋陽介・村瀬智之監訳、玉川大学出版部、2014年).

Lipman, M., Sharp, Ann, M. & Oscanyan, Frederick, S.(1980), Philosophy in the Classroom (second ed.), Temple University Press
(『子どものための哲学授業：「学びの場」のつくりかた』河野哲也・清水将吾監訳、河出書房新社、2015年).

Cam, P. (1995), Thinking Together: Philosophical Inquiry for the Classroom, Hale & Iremonger and Primary English Teaching Association
(『共に考える：小学校の授業のための哲学的探求』桝形公也監訳、萌書房、2015年).

Dewey, J.(1910), How We Think (First Edition), in The Middle Works 1899-1924 vol.6, edited by Jo Ann Boydston, Carbondale and Edwardsville: Sothern Illinois University Press, 1978.

Dewey, J.(1933), How We Think (Revised Edition), in The Later Works 1925-1953 vol.8, edited by Jo Ann Boydston, Carbondale and Edwardsville: Sothern Illinois University Press, 1986.

Dewey, J. (1938), Logic: The Theory of Inquiry, in The Later Works 1925-1953 vol.12, edited by Jo Ann Boydston, Carbondale and Edwardsville: Sothern Illinois University Press, 1991
(『論理学――探究の理論』魚津郁夫訳、『世界の名著』所収、中央公論社、1968年).

鷲田清一監修・カフェフィロ編『哲学カフェのつくりかた』、大阪大学出版会、2014年

梶谷真司『考えるとはどういうことか　0歳から100歳までの哲学入門』、幻冬舎、2018年

Jackson, T. (2004), "Philosophy for children Hawaiian style", Thinking: The Journal of Philosophy for Children 17(1&2), pp. 3-8.

Jackson, T. (2013), "Philosophical rules of engagement", in S. Goering, N. Shudak & T. Wartenberg (Eds.), Philosophy in schools: An introduction for philosophers and teachers, New York: Routledge, pp.99-109.

Golding, C, (2016). "What Is Philosophical about Philosophy for Children", in The Routledge International Handbook of Philosophy for Children, pp. 65-73.

Marinoff, L. (2011). Philosophical Practice, Academic Press.

新聞記事等

日刊ゲンダイ、「対話を通じて考えを深掘り「哲学カフェ」が静かなブーム」、2019年6月21日

日本経済新聞、「キセキの高校」連載全五回、2019年5月13日〜17日

The Daily Northwestern "Google's in-house philosopher talks technology" 2013年4月30日

QUALTZ "Apple employs an in-house philosopher but won't let him talk to the press" 2019年4月22日

QUALTZ "Silicon Valley executives are hiring philosophers to teach them to question everything" 2017年4月18日

Forbes "Why Your Board Needs A Chief Philosophy Officer" 2018年3月9日

The Guardian "I work therefore I am: why businesses are hiring philosophers" 2018年3月29日

New York Times "A Wall Street Giant Makes a $75 Million Bet on Academic Philosophy" 2018年2月16日

自著

「探究の共同体における「思考」をどのように位置づけるべきか――子どもの哲学の目的をめぐって」、『思考と対話』、2019年6月

「欧米企業で人気が急上昇 哲学コンサルティングとは?」、『週刊ダイアモンド』(特集 完全修得 ビジネスに効く!哲学スキル&教養 仕事に必須の思考ツール 使える哲学：問題解決 伝える力 アイデアを生む) ― (「哲学活用」のビジネス現場)、2019年6月8日

「今、「哲学コンサルティング」が必要だ――ビジネスにおける哲学の可能性とは」、『BIZ PHILO』、2019年10月30日

「哲学コンサルティングの種類と方法――何が「哲学」コンサルティングなのか?」、『BIZ PHILO』、2019年11月12日

「海外における哲学コンサルティングの事例と成果――哲学者はビジネスでどのような役割を果たすのか?」、『BIZ PHILO』、2019年11月17日

「哲学コンサルティングの成果――哲学的思考と対話が、ビジネスパーソンを変革する」、『BIZ PHILO』、2020年6月5日

「子どもとする哲学(P4C)における教師の役割と権威性」、『思考と対話』、2020年7月

堀越耀介

YOSUKE HORIKOSHI

哲学プラクティショナー。哲学コンサルティング企業であるクロス・フィロソフィーズ株式会社取締役や、哲学プラクティスのさかんなハワイ州立大学客員研究員を経て、現在、日本学術振興会特別研究員、東京大学大学院教育学研究科博士後期課程。上智大学文学部哲学科卒業、早稲田大学大学院政治学研究科修了。修士（政治学）。上智大学グローバル・コンサーン研究所客員研究員。暮らしの中で哲学するという実践を広めるため、学校教育やビジネスの現場で哲学対話の講師を務める。

Twitter @deweyans

哲《てつ》学《がく》はこう使《つか》う
問《もん》題《だい》解《かい》決《けつ》に効《き》く哲《てつ》学《がく》思《し》考《こう》「超《ちょう》」入《にゅう》門《もん》

2020年9月30日　初版第1刷発行

著　者　　堀越耀介《ほりこしようすけ》
発行者　　岩野裕一

発行所　　株式会社実業之日本社
〒107-0062
東京都港区南青山5-4-30　CoSTUME NATIONAL Aoyama Complex 2F
電話(編集)03-6809-0452
　　(販売)03-6809-0495
https://www.j-n.co.jp/
印刷・製本　　大日本印刷株式会社

ブックデザイン　　西垂水敦・市川さつき(krran)
DTP・図版　　Lush!
編集　　杉山亜沙美(実業之日本社)

ISBN 978-4-408-33943-6(新企画)